교과서 GO! 사고력 GO!

GO! 매쓰

Run-B

교과서 사고력

수학 2-2

구성과 특징

1주차 교과 집중 학습

1 교과서 개념 완성

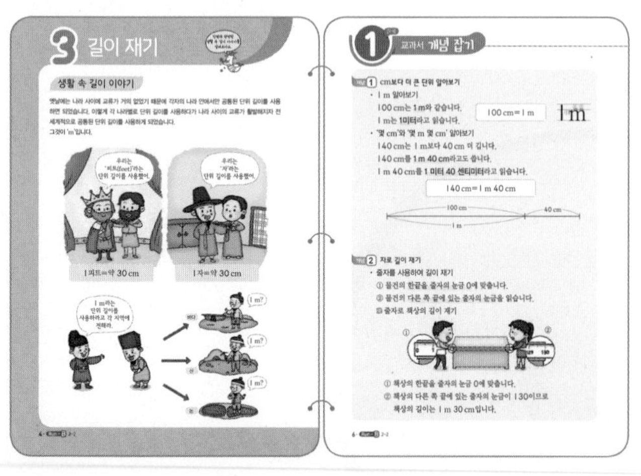

재미있는 수학 이야기로 단원에 대한 흥미를 높이고, 교과서 개념과 기본 문제를 학습합니다.

2 교과서 개념 PLAY

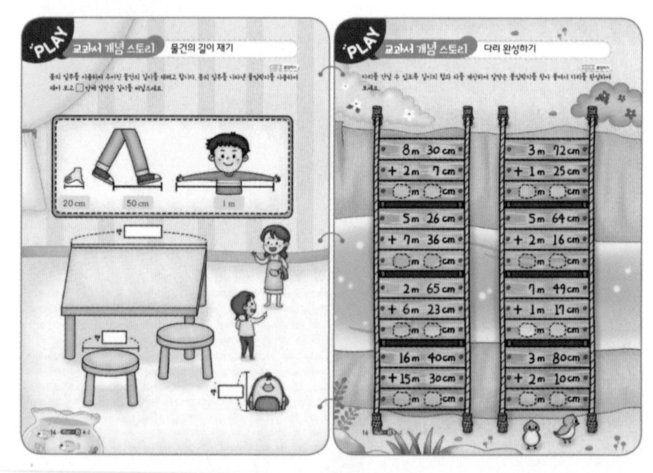

게임으로 개념을 학습하면서 집중력을 높여 쉽게 개념을 익히고 기본을 탄탄하게 만듭니다.

3 문제 풀이로 실력 & 자신감 UP!

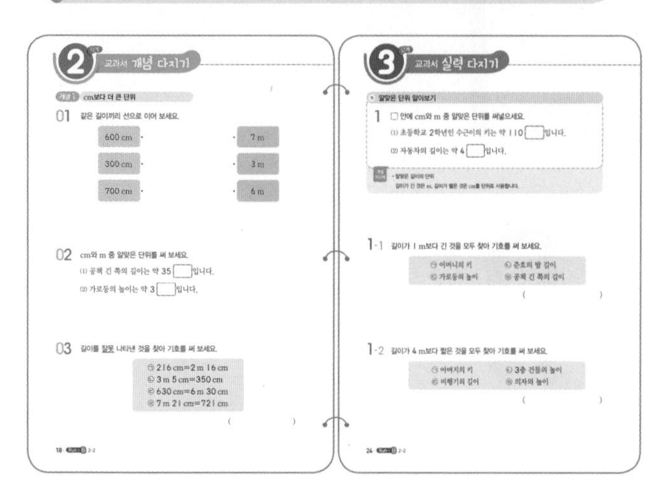

한 단계 더 나아간 교과서와 익힘 문제로 개념을 완성하고, 다양한 문제 유형으로 응용력을 키웁니다.

4 서술형 문제 풀이

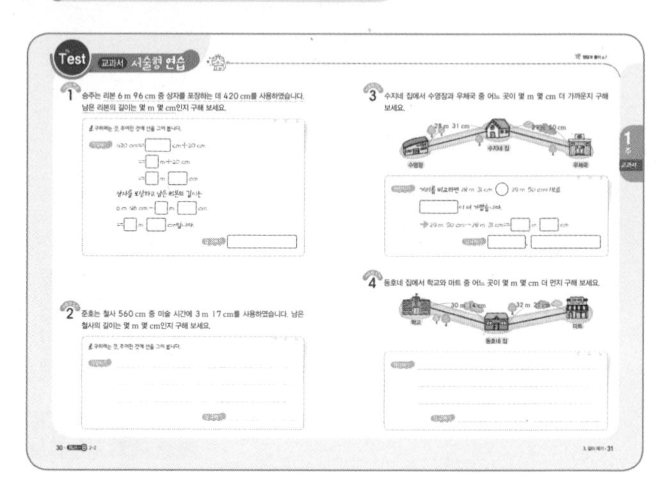

시험에 잘 나오는 서술형 문제 중심으로 단계별로 풀이하는 연습을 하여 서술하는 힘을 높여 줍니다.

교과 + 사고력

2주에 한 단원 완성!

2 주차 사고력 확장 학습

1 사고력 PLAY

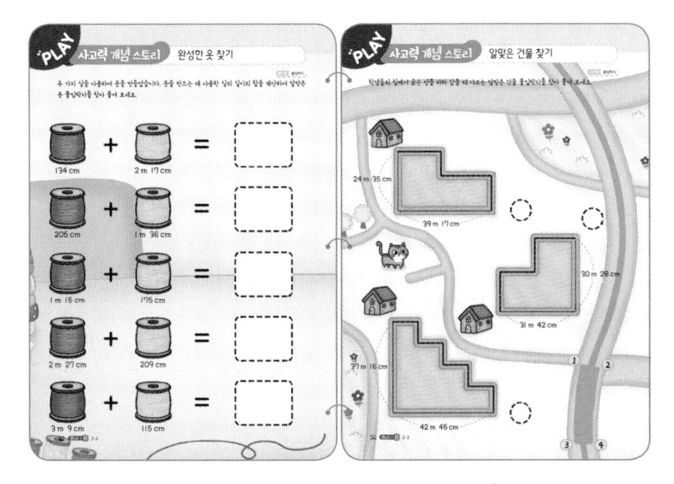

교과 심화 문제와 사고력 문제를 게임으로 쉽게 접근하여 어려운 문제에 대한 거부감을 낮추고 집중력을 높입니다.

2 교과 사고력 잡기

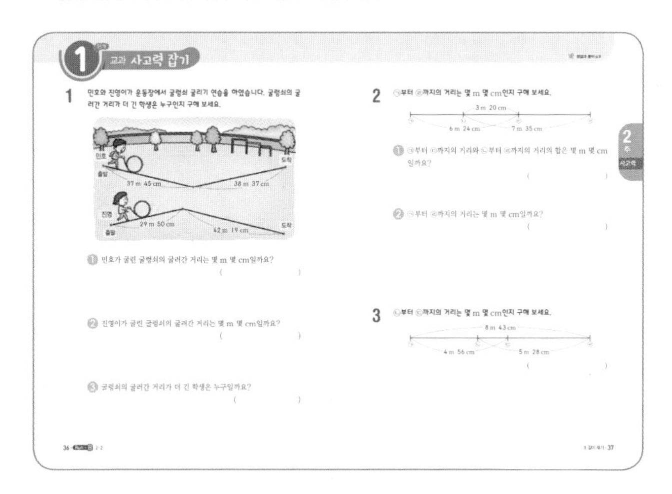

문제에 필요한 요소를 찾아 단계별로 해결하면서 문제 해결력을 키울 수 있는 힘을 기릅니다.

3 교과 사고력 확장+완성

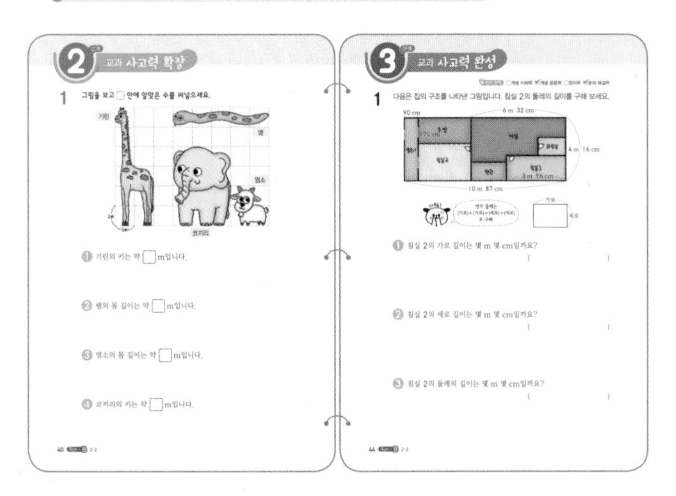

틀에서 벗어난 생각을 하여 문제를 해결하는 창의적 사고력을 기를 수 있는 힘을 기릅니다.

4 종합평가 / 특강

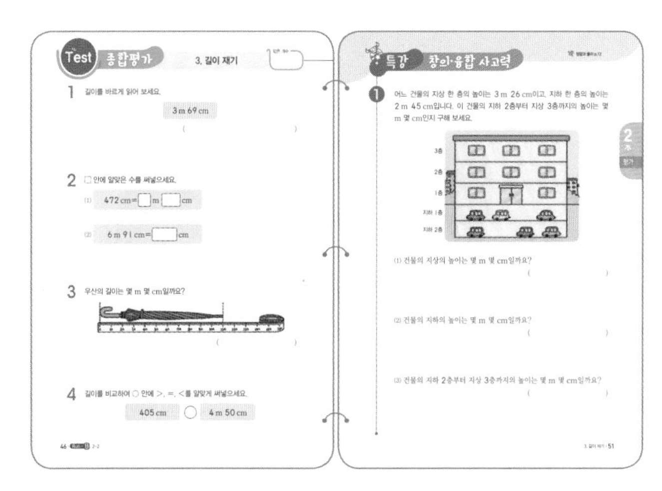

교과 학습과 사고력 학습을 얼마나 잘 이해하였는지 평가하여 배운 내용을 정리합니다.

3 길이 재기

생활 속 길이 이야기

옛날에는 나라 사이에 교류가 거의 없었기 때문에 각자의 나라 안에서만 공통된 단위 길이를 사용하면 되었습니다. 이렇게 각 나라별로 단위 길이를 사용하다가 나라 사이의 교류가 활발해지자 전 세계적으로 공통된 단위 길이를 사용하게 되었습니다.
그것이 'm'입니다.

1 피트=약 30 cm

1 자=약 30 cm

주어진 단위 길이로 재기 알맞은 것끼리 선으로 이어 보세요.

단위 길이

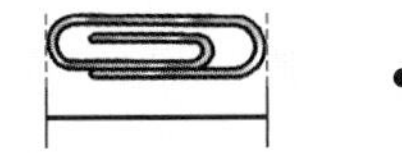 •　　　　　　• 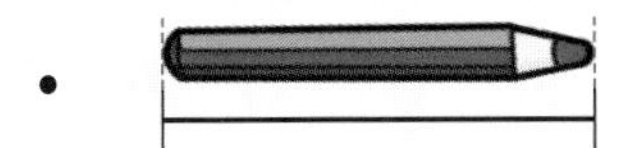

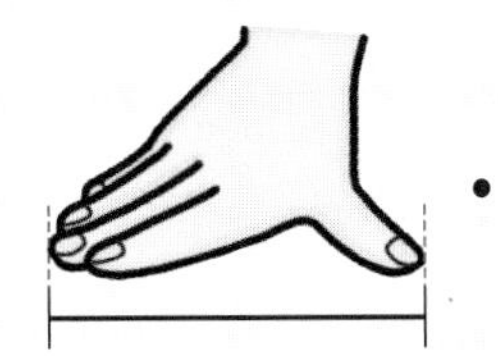 •　　　　　　• 

다음 물건의 길이를 재어 보세요.

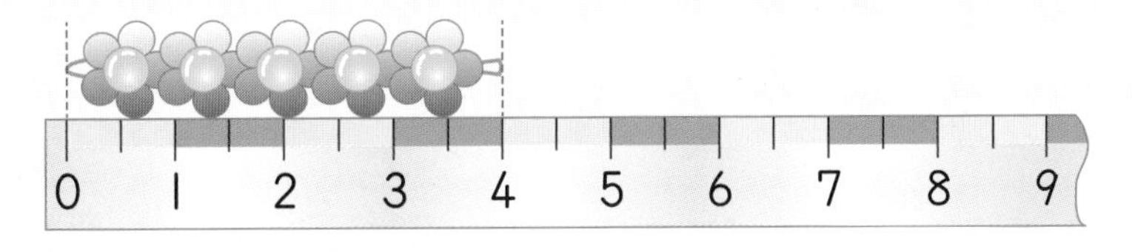

(　　　　　　)

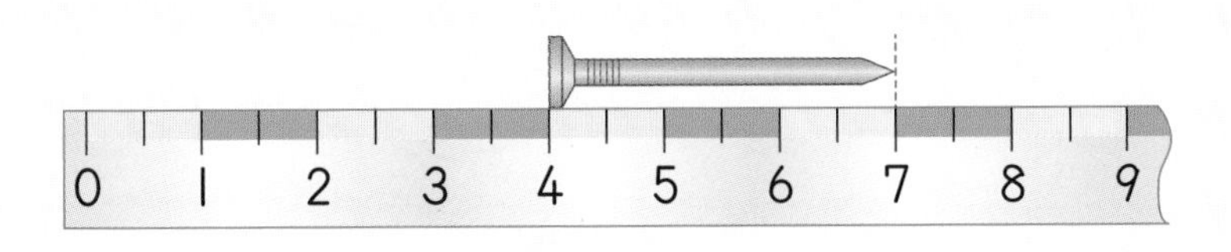

(　　　　　　)

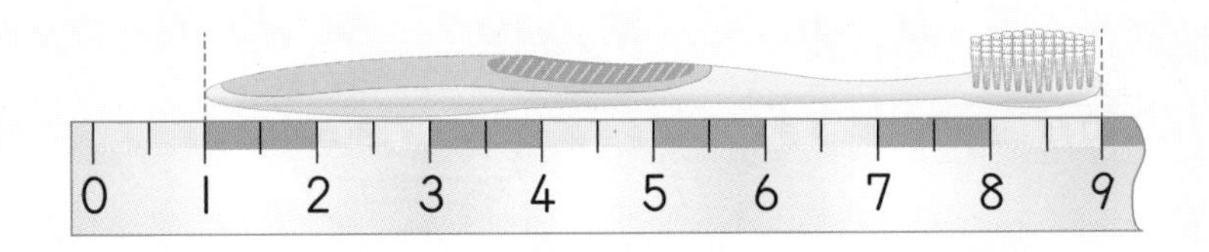

(　　　　　　)

1단계 교과서 개념 잡기

개념 1 cm보다 더 큰 단위 알아보기

- 1 m 알아보기

100 cm는 **1 m**와 같습니다.

1 m는 **1미터**라고 읽습니다.

100 cm=1 m

- '몇 cm'와 '몇 m 몇 cm' 알아보기

140 cm는 1 m보다 40 cm 더 깁니다.

140 cm를 **1 m 40 cm**라고도 씁니다.

1 m 40 cm를 **1 미터 40 센티미터**라고 읽습니다.

140 cm=1 m 40 cm

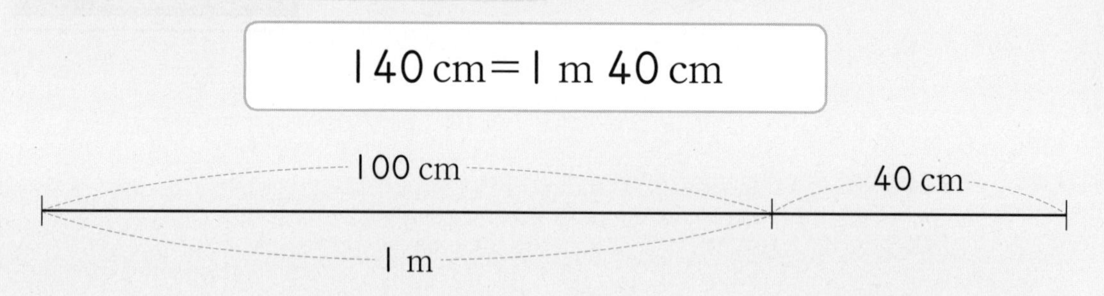

개념 2 자로 길이 재기

- 줄자를 사용하여 길이 재기

① 물건의 한끝을 줄자의 눈금 0에 맞춥니다.

② 물건의 다른 쪽 끝에 있는 줄자의 눈금을 읽습니다.

예 줄자로 책상의 길이 재기

① 책상의 한끝을 줄자의 눈금 0에 맞춥니다.

② 책상의 다른 쪽 끝에 있는 줄자의 눈금이 130이므로 책상의 길이는 1 m 30 cm입니다.

1-1 길이를 바르게 써 보세요.

(1) 1 m

(2) 5 m

1-2 길이를 바르게 읽어 보세요.

(1) 3 m

(　　　　　　　　)

(2) 5 m 30 cm

(　　　　　　　　)

1-3 □ 안에 알맞은 수를 써넣으세요.

(1) 100 cm=□ m

(2) 4 m=□ cm

(3) 5 m 8 cm=□ cm

(4) 624 cm=□ m □ cm

2 동호의 키를 재어 보세요.

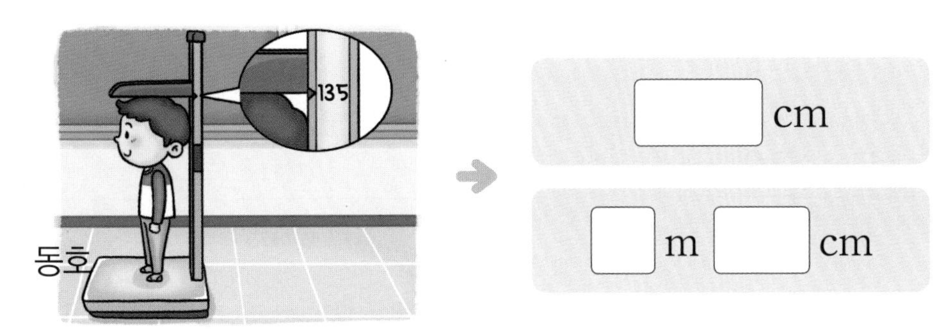

개념 3 길이의 합 구하기 → cm는 cm끼리, m는 m끼리 더합니다.

• 1 m 30 cm+2 m 40 cm를 계산하는 방법 → 받아올림이 없는 경우

방법 1 m와 cm 단위로 각각 나누어 더하기

1+2=3

1 m 30 cm+2 m 40 cm=3 m 70 cm

30+40=70

방법 2 세로로 계산하기

	1 m	30 cm
+	2 m	40 cm

➩

	1 m	30 cm
+	2 m	40 cm
		70 cm

➩

	1 m	30 cm
+	2 m	40 cm
	3 m	70 cm

• 1 m 60 cm+1 m 70 cm를 계산하는 방법 → 받아올림이 있는 경우

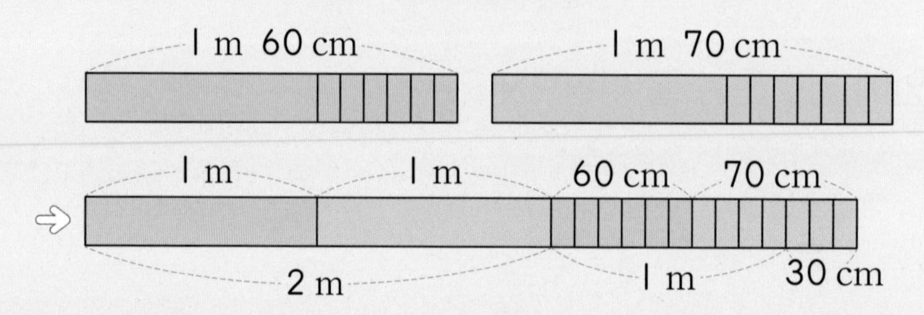

방법 1 m와 cm 단위로 각각 나누어 더하기

1 m 60 cm+1 m 70 cm=2 m 130 cm → 100 cm=1 m

=2 m+100 cm+30 cm

=2 m+1 m+30 cm

=3 m 30 cm

방법 2 세로로 계산하기

	1 m	60 cm
+	1 m	70 cm

➩

	1 m	60 cm
+	1 m	70 cm
		130 cm

+1 m ← −100 cm

➩

	1	
	1 m	60 cm
+	1 m	70 cm
	3 m	30 cm

3-1 그림을 보고 □ 안에 알맞은 수를 써넣으세요.

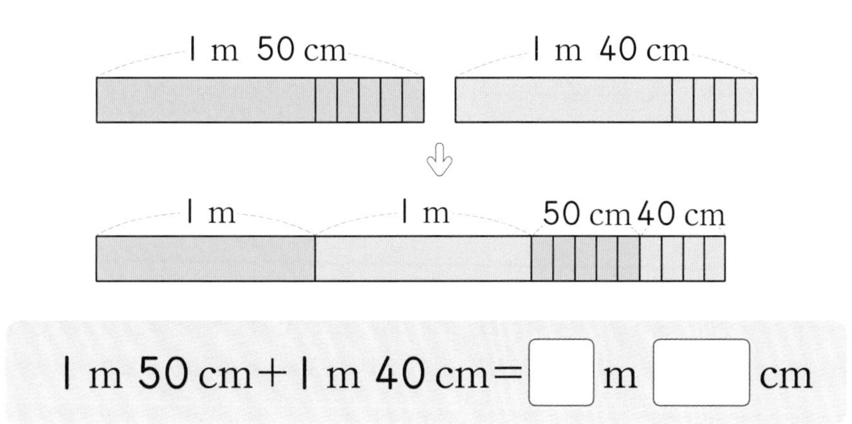

1 m 50 cm+1 m 40 cm=□ m □ cm

3-2 □ 안에 알맞은 수를 써넣으세요.

2 m 23 cm+3 m 35 cm=□ m □ cm

3-3 길이의 합을 구해 보세요.

(1)

		m		cm
	3	m	32	cm
+	4	m	26	cm
	□	m	□	cm

(2)

		m		cm
	1			
	2	m	50	cm
+	2	m	60	cm
	□	m	□	cm

3-4 길이의 합을 구하려고 합니다. □ 안에 알맞은 수를 써넣으세요.

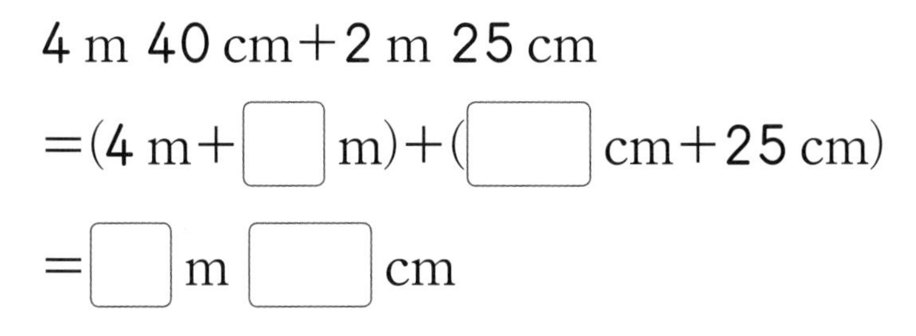

4 m 40 cm+2 m 25 cm

=(4 m+□ m)+(□ cm+25 cm)

=□ m □ cm

개념 4 길이의 차 구하기 → cm는 cm끼리, m는 m끼리 뺍니다.

• 3 m 50 cm−1 m 20 cm를 계산하는 방법 → 받아내림이 없는 경우

방법 1 m와 cm 단위로 각각 나누어 빼기

3−1=2

3 m 50 cm−1 m 20 cm=2 m 30 cm

50−20=30

방법 2 세로로 계산하기

	3 m	50 cm
−	1 m	20 cm

➩

	3 m	50 cm
−	1 m	20 cm
		30 cm

➩

	3 m	50 cm
−	1 m	20 cm
	2 m	30 cm

• 2 m 30 cm−1 m 50 cm를 계산하는 방법 → 받아내림이 있는 경우

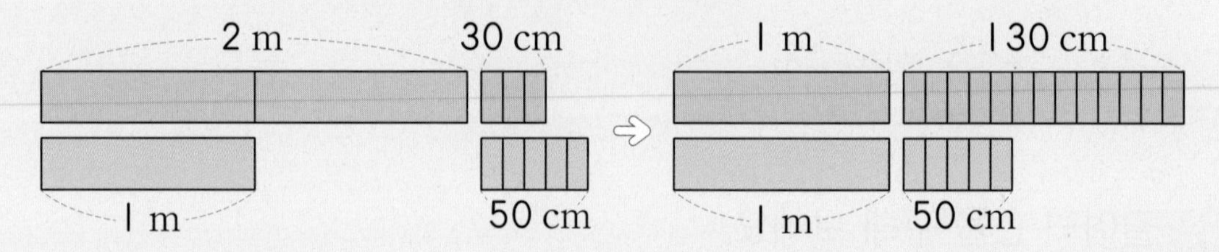

방법 1 m와 cm 단위로 각각 나누어 빼기

2 m 30 cm−1 m 50 cm

➩ 30 cm−50 cm를 계산할 수 없으므로 받아내림합니다.

➩ 2 m 30 cm−1 m 50 cm=1 m 130 cm−1 m 50 cm

=0 m 80 cm=80 cm

방법 2 세로로 계산하기

−1 m ➔ +100 cm

	2 m	30 cm
−	1 m	50 cm

➩

	1 m	130 cm
−	1 m	50 cm
		80 cm

➩

	1 m	130 cm
−	1 m	50 cm
	0 m	80 cm

개념 확인 문제

4-1 그림을 보고 □ 안에 알맞은 수를 써넣으세요.

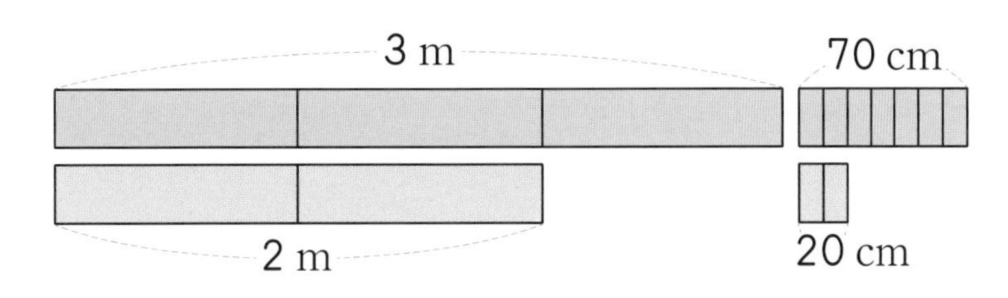
3 m
70 cm
2 m
20 cm

3 m 70 cm − 2 m 20 cm = □ m □ cm

4-2 □ 안에 알맞은 수를 써넣으세요.

5 m 65 cm − 3 m 32 cm = □ m □ cm

4-3 길이의 차를 구해 보세요.

(1)

	4 m	63 cm
−	3 m	41 cm
	□ m	□ cm

(2)

	5	100	
	~~6~~ m	20 cm
−	3 m	50 cm
	□ m	□ cm

4-4 길이의 차를 구하려고 합니다. □ 안에 알맞은 수를 써넣으세요.

5 m 60 cm − 2 m 45 cm

= (5 m − □ m) + (□ cm − 45 cm)

= □ m □ cm

cm는 cm끼리,
m는 m끼리 빼.
흠..

개념 5 길이 어림하기 (1)

• 몸의 일부를 이용하여 1 m 재기

걸음으로 1 m를 재어 보니 약 2걸음입니다.
➔ 걸음은 뼘에 비해 **긴 길이를 잴 때** 좋습니다.

뼘으로 1 m를 재어 보니 약 7뼘입니다.
➔ 뼘은 걸음에 비해 **짧은 길이를 잴 때** 좋습니다.

• 몸에서 1 m가 되는 부분 찾기

키에서 약 1 m 찾기
➔ 키에서 1 m는 **물건의 높이를 잴 때** 좋습니다.

양팔을 벌린 길이에서 약 1 m 찾기
➔ 양팔을 벌린 길이에서 1 m는 **긴 길이를 여러 번 잴 때** 좋습니다.

개념 6 길이 어림하기 (2)

• 축구 골대 긴 쪽의 길이를 어림하기

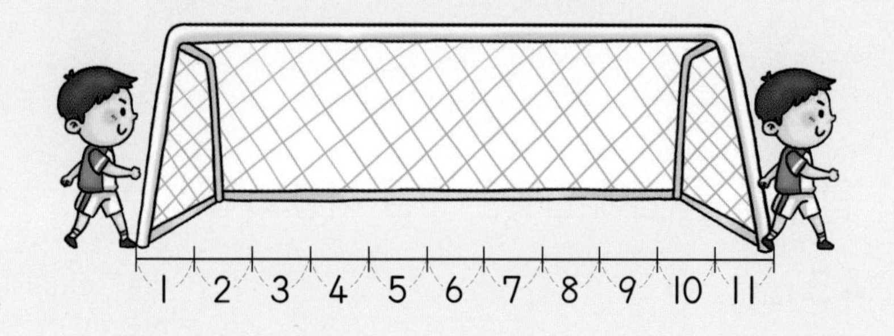

긴 길이를 어림하는 방법
• 걸음, 양팔을 벌린 길이로 어림하기
• 한 발씩, 두 발씩 뛰어서 어림하기

➪ 한 걸음이 50 cm일 때 11걸음이 나왔으므로 축구 골대 긴 쪽의 길이는 5 m 50 cm로 어림하였습니다.

개념 확인 문제

5-1 몸의 일부를 이용하여 야구방망이의 길이를 잴 때 가장 알맞은 몸의 일부에 ○표 하세요.

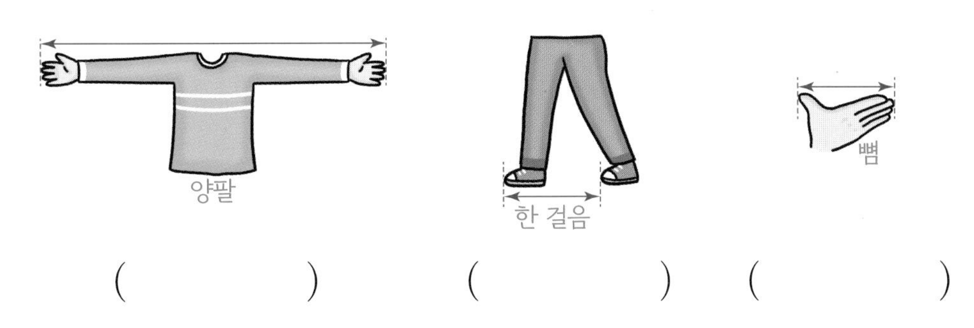

( )　　( )　　( )

5-2 준호의 키가 1 m일 때 나무의 높이는 약 몇 m일까요?

( )

6 주어진 1 m로 끈의 길이를 어림하였습니다. 어림한 끈의 길이는 약 몇 m일까요?

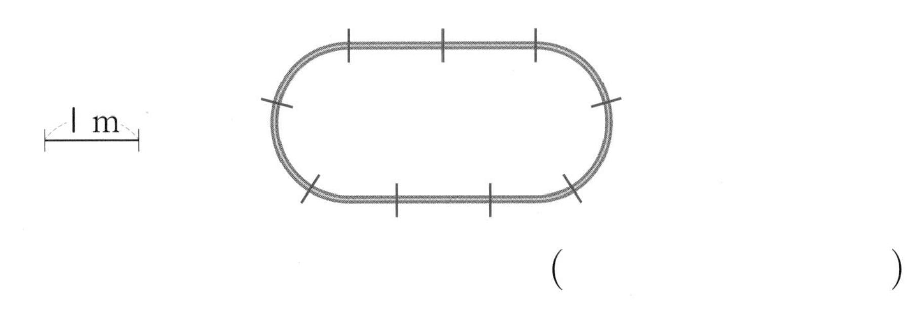

( )

PLAY 교과서 개념 스토리

물건의 길이 재기

준비물 붙임딱지

몸의 일부를 이용하여 주어진 물건의 길이를 재려고 합니다. 몸의 일부를 나타낸 붙임딱지를 사용하여 재어 보고 □ 안에 알맞은 길이를 써넣으세요.

약
약
약
약
1
주
교과서

PLAY 교과서 개념 스토리

다리 완성하기

준비물 붙임딱지

다리를 건널 수 있도록 길이의 합과 차를 계산하여 알맞은 붙임딱지를 찾아 붙여서 다리를 완성하여 보세요.

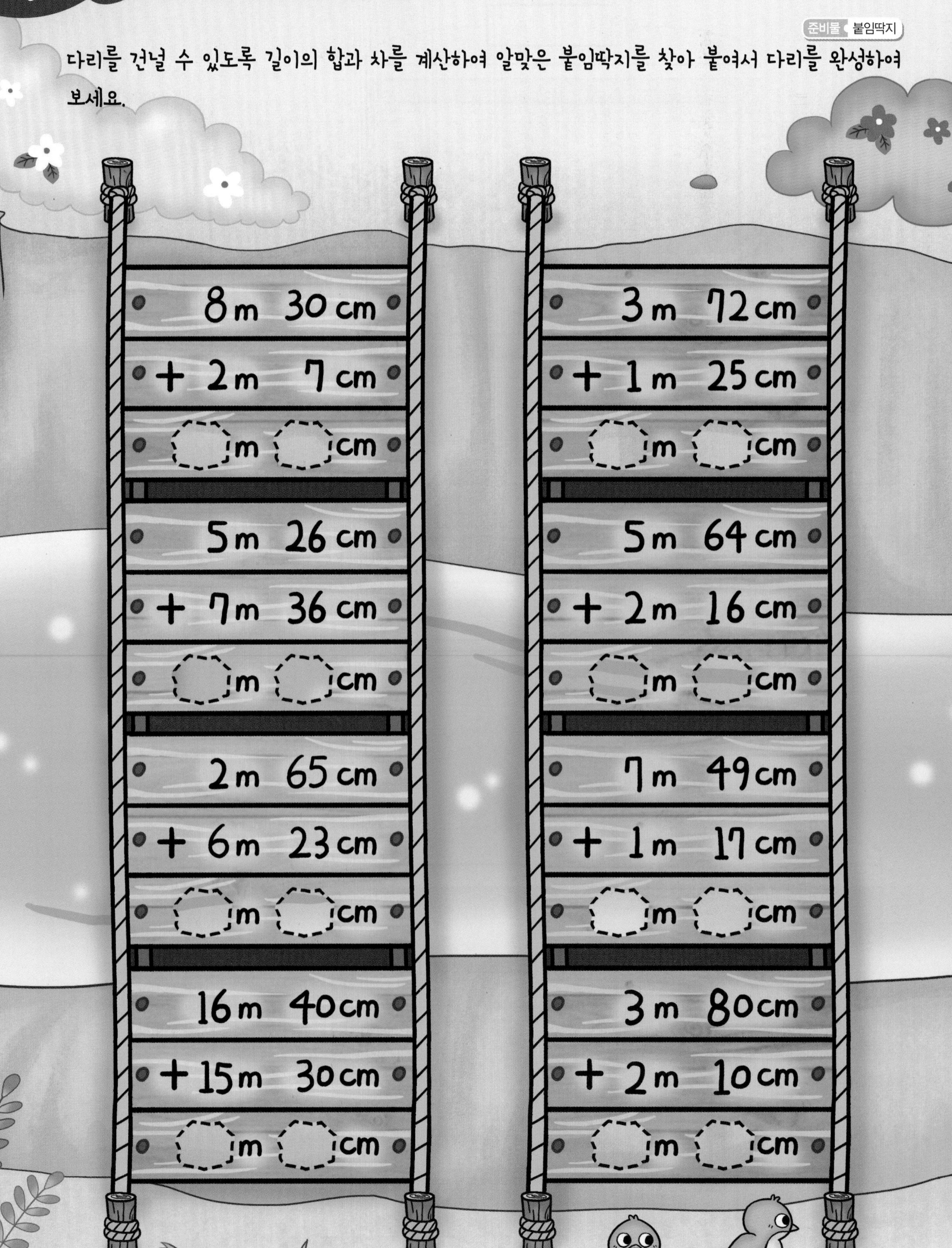

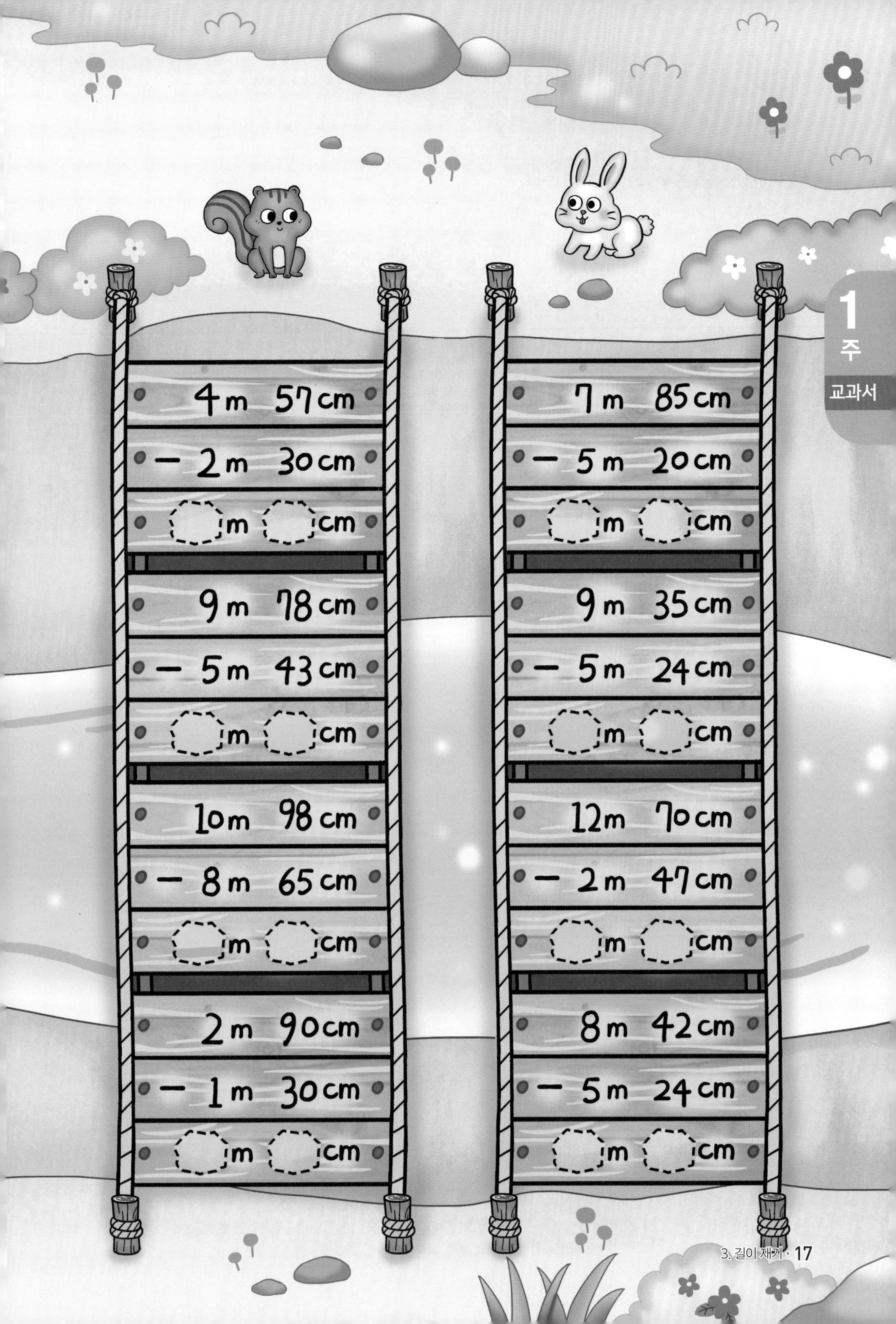
1
주
교과서
4 m 57 cm
− 2 m 30 cm
m cm
9 m 78 cm
− 5 m 43 cm
m cm
10 m 98 cm
− 8 m 65 cm
m cm
2 m 90 cm
− 1 m 30 cm
m cm
7 m 85 cm
− 5 m 20 cm
m cm
9 m 35 cm
− 5 m 24 cm
m cm
12 m 70 cm
− 2 m 47 cm
m cm
8 m 42 cm
− 5 m 24 cm
m cm
3. 길이 재기 · 17

2 단계 교과서 개념 다지기

개념 1 cm보다 더 큰 단위

01 같은 길이끼리 선으로 이어 보세요.

600 cm ·	· 7 m
300 cm ·	· 3 m
700 cm ·	· 6 m

02 cm와 m 중 알맞은 단위를 써 보세요.

(1) 공책 긴 쪽의 길이는 약 35 ☐ 입니다.

(2) 가로등의 높이는 약 3 ☐ 입니다.

03 길이를 잘못 나타낸 것을 찾아 기호를 써 보세요.

㉠ 216 cm=2 m 16 cm
㉡ 3 m 5 cm=350 cm
㉢ 630 cm=6 m 30 cm
㉣ 7 m 21 cm=721 cm

( )

개념 2 자로 길이 재기

04 자에서 화살표가 가리키는 눈금을 읽어 보세요.

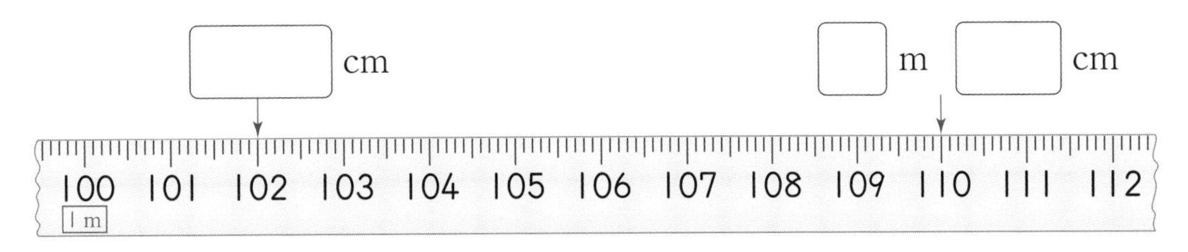

05 허리띠의 길이는 몇 cm일까요?

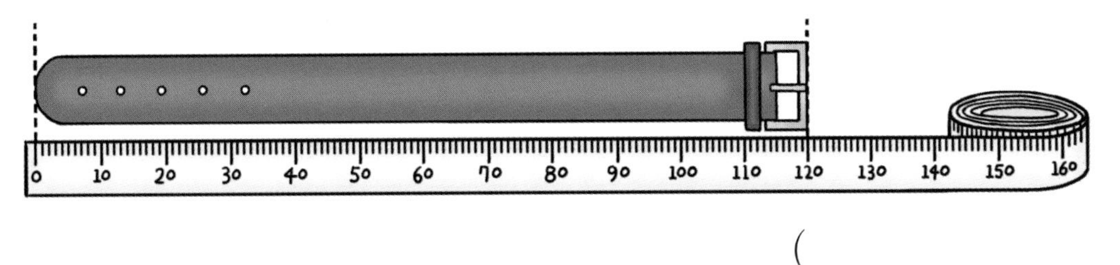

( )

06 학교에 있는 물건의 길이를 자로 잰 것입니다. □ 안에 알맞은 수를 써넣으세요.

의자의 높이	112 cm	=	□ m □ cm
칠판 긴 쪽의 길이	□ cm	=	2 m 50 cm
사물함 긴 쪽의 길이	308 cm	=	□ m □ cm

개념 3 길이의 합 구하기

07 □ 안에 알맞은 수를 써넣으세요.

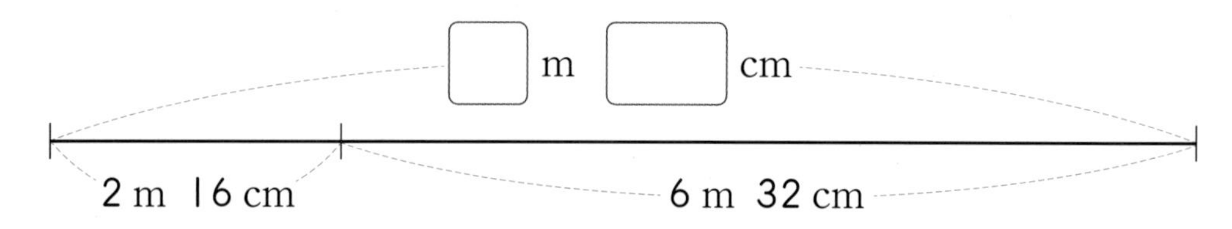

08 □ 안에 알맞은 수를 써넣으세요.

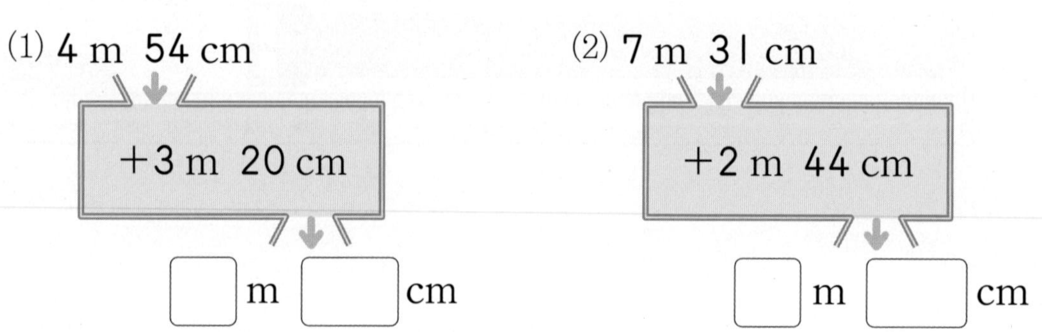

09 영주는 한 바퀴의 길이가 30 m 24 cm인 연못을 2바퀴 돌았습니다. 영주가 돈 거리는 몇 m 몇 cm일까요?

( )

개념 4 길이의 차 구하기

10 □ 안에 알맞은 수를 써넣으세요.

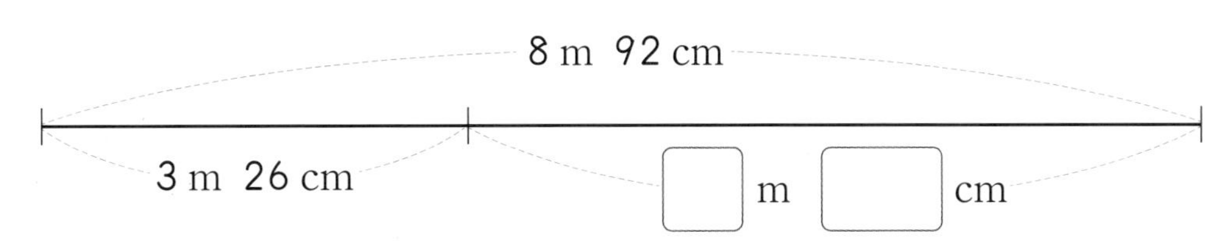

11 두 길이의 차는 몇 m 몇 cm일까요?

6 m 70 cm	2 m 25 cm

(　　　　　　　　)

12 길이가 2 m 13 cm인 고무줄이 있습니다. 이 고물줄을 양쪽으로 잡아당겼더니 4 m 20 cm가 되었습니다. 처음보다 고물줄이 몇 m 몇 cm 늘어났는지 구해 보세요.

식 ____________________

답 ____________________

개념 5 길이 어림하기 (1) – 몸의 일부 이용

13 칠판 긴 쪽의 길이는 약 몇 m일까요?

( )

14 버스의 길이를 몸의 일부를 이용하여 재려고 합니다. 다음 방법 중 가장 알맞은 것을 찾아 기호를 써 보세요.

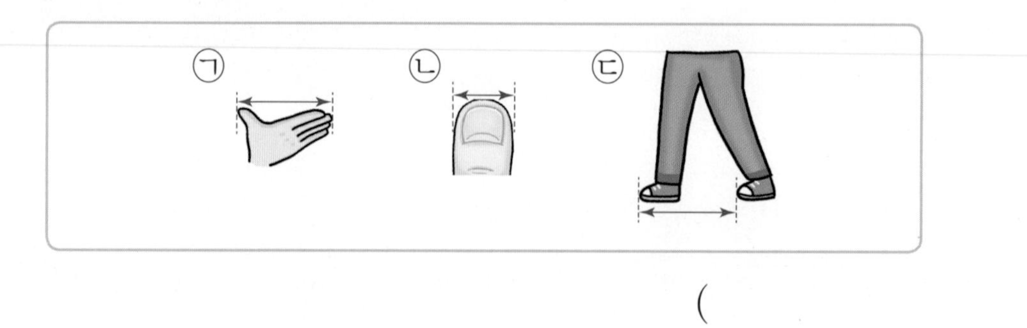

( )

15 축구 골대 긴 쪽의 길이를 민호의 걸음으로 재었더니 약 10걸음입니다. 축구 골대 긴 쪽의 길이는 약 몇 m일까요?

( )

개념 6 길이 어림하기 (2) – 기준이 되는 길이

16 길이가 1 m인 막대로 트럭의 길이를 어림하였습니다. 어림한 트럭의 길이는 약 몇 m일까요?

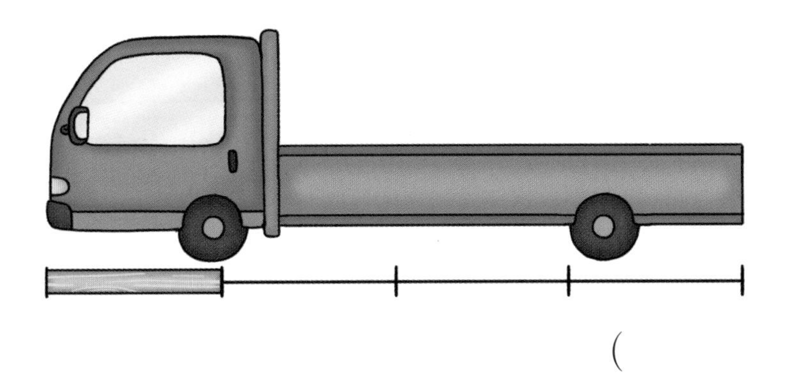

(　　　　　　　　)

17 주어진 1 m로 리본의 길이를 어림하였습니다. 어림한 리본의 길이는 약 몇 m일까요?

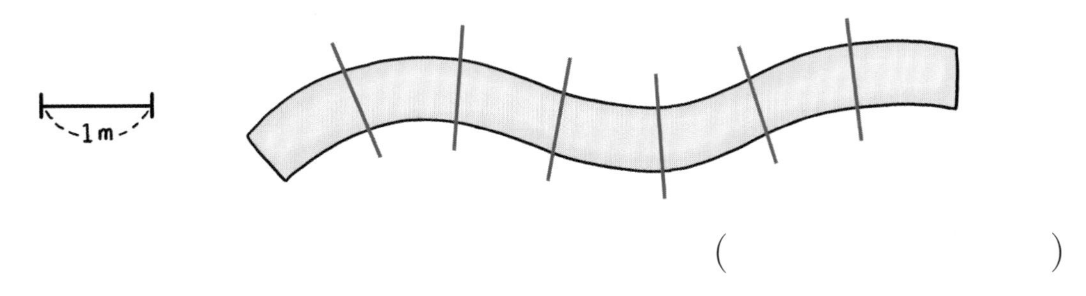

(　　　　　　　　)

18 실제 길이에 가까운 것을 찾아 선으로 이어 보세요.

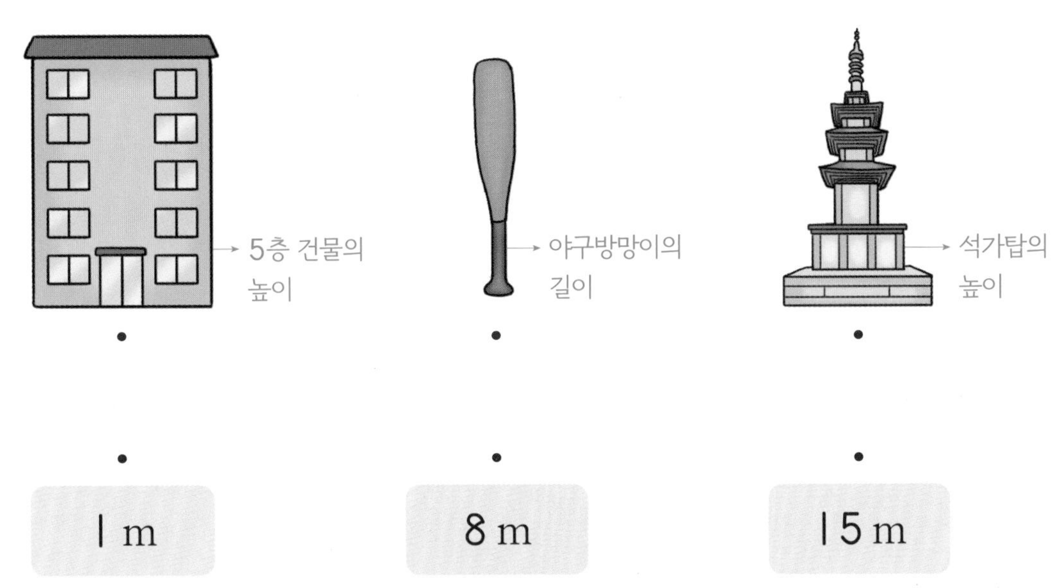

3단계 교과서 실력 다지기

★ 알맞은 단위 알아보기

1 □ 안에 cm와 m 중 알맞은 단위를 써넣으세요.

(1) 초등학교 2학년인 수근이의 키는 약 110 □입니다.

(2) 자동차의 길이는 약 4 □입니다.

개념 피드백
- 알맞은 길이의 단위
  길이가 긴 것은 m, 길이가 짧은 것은 cm를 단위로 사용합니다.

1-1 길이가 1 m보다 긴 것을 모두 찾아 기호를 써 보세요.

㉠ 어머니의 키	㉡ 준호의 발 길이
㉢ 가로등의 높이	㉣ 공책 긴 쪽의 길이

( )

1-2 길이가 4 m보다 짧은 것을 모두 찾아 기호를 써 보세요.

㉠ 아버지의 키	㉡ 3층 건물의 높이
㉢ 비행기의 길이	㉣ 의자의 높이

( )

m와 cm의 관계 알아보기

2 보기 와 같이 나타내어 보세요.

보기

617 cm=600 cm+17 cm=6 m+17 cm=6 m 17 cm

(1) 309 cm=

(2) 840 cm=

개념 피드백

• m와 cm의 관계

100 cm=1 m임을 이용하여 '몇 cm'를 '몇 m 몇 cm'로 바꿀 수 있습니다.

2-1 다음 중 길이를 바르게 나타낸 것을 찾아 기호를 써 보세요.

㉠ 2 m 19 cm=291 cm
㉡ 4 m 5 cm=405 cm
㉢ 7 m 10 cm=701 cm

(   )

2-2 같은 길이를 나타내는 것끼리 선으로 이어 보세요.

305 cm •	• 3 m
350 cm •	• 3 m 50 cm
300 cm •	• 3 m 5 cm

1주 교과서

3단계 교과서 실력 다지기

★ 길이 비교하기

3 길이를 비교하여 ○ 안에 >, =, <를 알맞게 써넣으세요.

(1) 8 m ◯ 792 cm

(2) 505 cm ◯ 5 m 50 cm

개념 피드백
• '몇 m'와 '몇 cm', '몇 cm'와 '몇 m 몇 cm'의 길이 비교
100 cm=1 m임을 이용하여 '몇 cm'를 '몇 m' 또는 '몇 m 몇 cm'로 바꾸거나 '몇 m 몇 cm'를 '몇 cm'로 바꾸어 길이를 비교합니다.

3-1 길이가 더 긴 것의 기호를 써 보세요.

㉠ 2 m 38 cm+3 m 16 cm
㉡ 7 m 20 cm−2 m 15 cm

( )

3-2 선물을 포장하기 위해 사용한 리본의 길이가 가장 긴 것에 ○표 하세요.

( ) ( ) ( )

길이 어림하기

4 정호의 발 길이는 20 cm입니다. 책꽂이 긴 쪽의 길이를 발 길이로 재었더니 약 6번입니다. 책꽂이 긴 쪽의 길이는 약 몇 cm일까요?

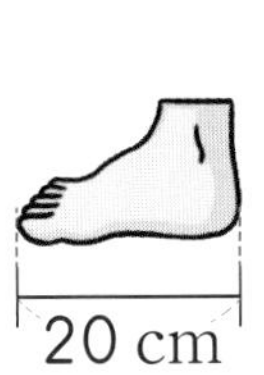

답 ____________

개념 피드백
- 몸의 일부를 이용하여 길이 재기
  걸음은 뼘에 비해 긴 길이를 잴 때 좋습니다.
  뼘은 걸음에 비해 짧은 길이를 잴 때 좋습니다.

4-1 승기가 양팔을 벌린 길이는 110 cm입니다. 버스의 길이를 양팔을 벌린 길이로 재었더니 약 5번입니다. 버스의 길이는 약 몇 m 몇 cm일까요?

( )

4-2 칠판 긴 쪽의 길이를 1 m짜리 막대로 4번을 재면 마지막 막대의 약 30 cm가 남습니다. 칠판 긴 쪽의 길이는 약 몇 m 몇 cm일까요?

( )

3단계 교과서 실력 다지기

★ 수 카드로 만든 길이의 합과 차 구하기

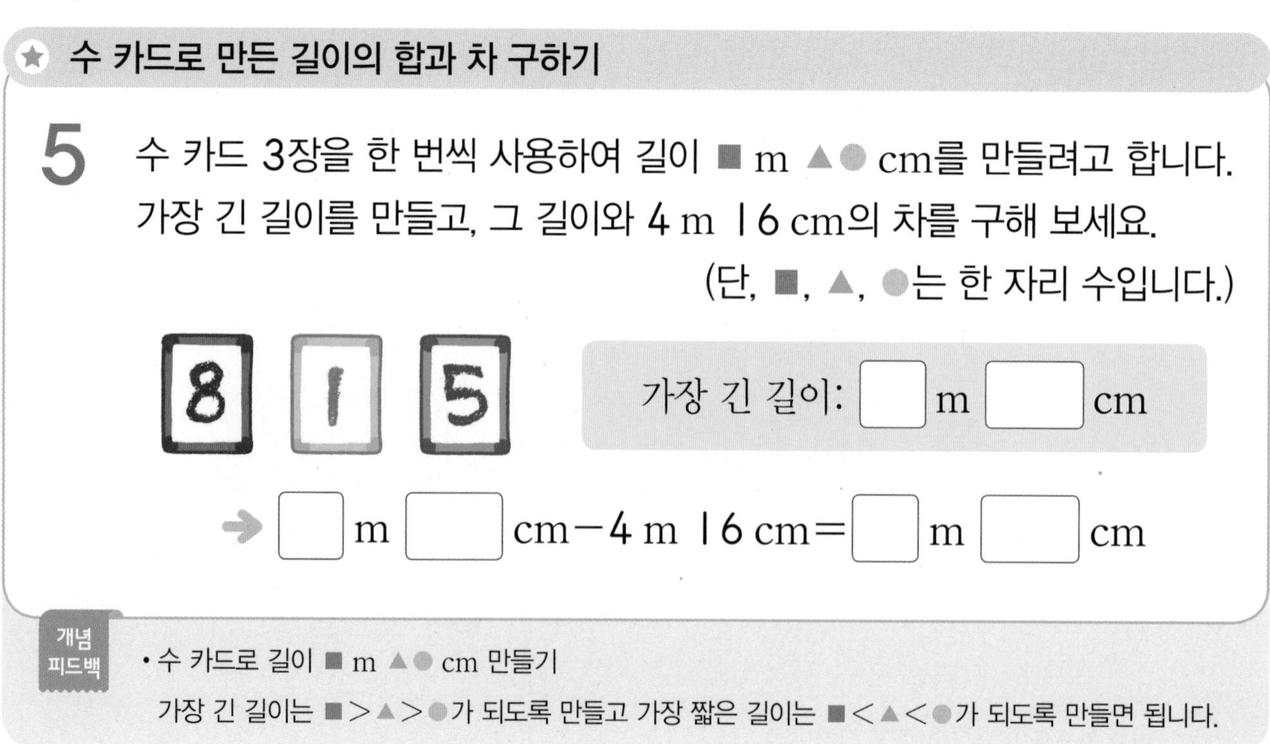

5 수 카드 3장을 한 번씩 사용하여 길이 ■ m ▲● cm를 만들려고 합니다. 가장 긴 길이를 만들고, 그 길이와 4 m 16 cm의 차를 구해 보세요.

(단, ■, ▲, ●는 한 자리 수입니다.)

8 1 5

가장 긴 길이: □ m □ cm

→ □ m □ cm−4 m 16 cm=□ m □ cm

개념 피드백
- 수 카드로 길이 ■ m ▲● cm 만들기

가장 긴 길이는 ■>▲>●가 되도록 만들고 가장 짧은 길이는 ■<▲<●가 되도록 만들면 됩니다.

5-1 수 카드 3장을 한 번씩 사용하여 길이 ■ m ▲● cm를 만들려고 합니다. 가장 짧은 길이를 만들고, 그 길이와 1 m 38 cm의 합을 구해 보세요.

(단, ■, ▲, ●는 한 자리 수입니다.)

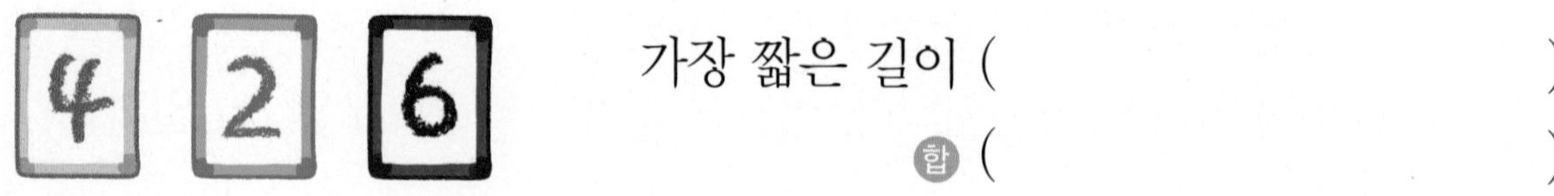

가장 짧은 길이 (　　　　　　)

합 (　　　　　　)

5-2 수 카드 6장 중 3장을 한 번씩 사용하여 길이 ■ m ▲● cm를 만들려고 합니다. 가장 긴 길이와 가장 짧은 길이의 차를 구해 보세요.

(단, ■, ▲, ●는 한 자리 수입니다.)

(　　　　　　)

☆ □ 안에 알맞은 수 구하기

6 □ 안에 알맞은 수를 써넣으세요.

(1)

	□ m	32 cm
+	4 m	□ cm
	8 m	50 cm

(2)

	2 m	□ cm
+	□ m	41 cm
	5 m	87 cm

1주 교과서

개념 피드백

- 길이의 합과 차에서 □ 안에 알맞은 수 구하기
  - ① 길이의 합과 차에서 cm는 cm끼리, m는 m끼리 계산합니다.
  - ② 받아올림과 받아내림이 있는 경우는 받아올림한 수와 받아내림한 수도 같이 계산합니다.

6-1 □ 안에 알맞은 수를 써넣으세요.

(1)

	□ m	70 cm
−	2 m	□ cm
	3 m	35 cm

(2)

	8 m	46 cm
−	□ m	□ cm
	4 m	12 cm

6-2 □ 안에 알맞은 수를 써넣으세요.

(1)

	3 m	58 cm
+	□ m	□ cm
	9 m	33 cm

(2)

	6 m	□ cm
−	□ m	18 cm
	2 m	89 cm

교과서 서술형 연습

서술형 연습 **1** 승주는 리본 6 m 96 cm 중 상자를 포장하는 데 420 cm를 사용하였습니다. 남은 리본의 길이는 몇 m 몇 cm인지 구해 보세요.

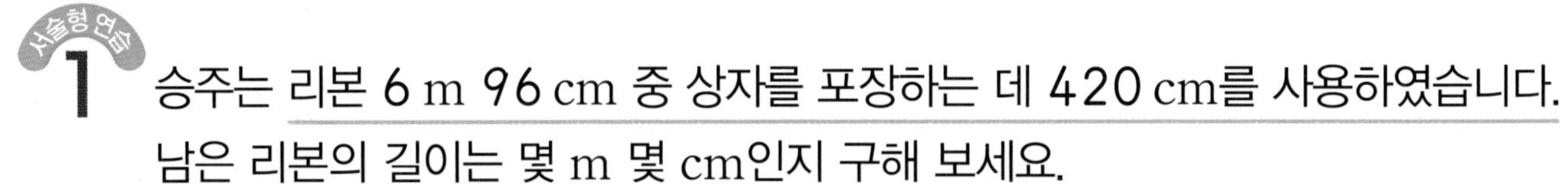

구하려는 것, 주어진 것에 선을 그어 봅니다.

해결하기 420 cm = ☐ cm + 20 cm

= ☐ m + 20 cm

= ☐ m ☐ cm

상자를 포장하고 남은 리본의 길이는

6 m 96 cm − ☐ m ☐ cm

= ☐ m ☐ cm입니다.

답 구하기 ☐

서술형 실전 **2** 준호는 철사 560 cm 중 미술 시간에 3 m 17 cm를 사용하였습니다. 남은 철사의 길이는 몇 m 몇 cm인지 구해 보세요.

구하려는 것, 주어진 것에 선을 그어 봅니다.

해결하기

답 구하기

서술형 연습

3 수지네 집에서 수영장과 우체국 중 어느 곳이 몇 m 몇 cm 더 가까운지 구해 보세요.

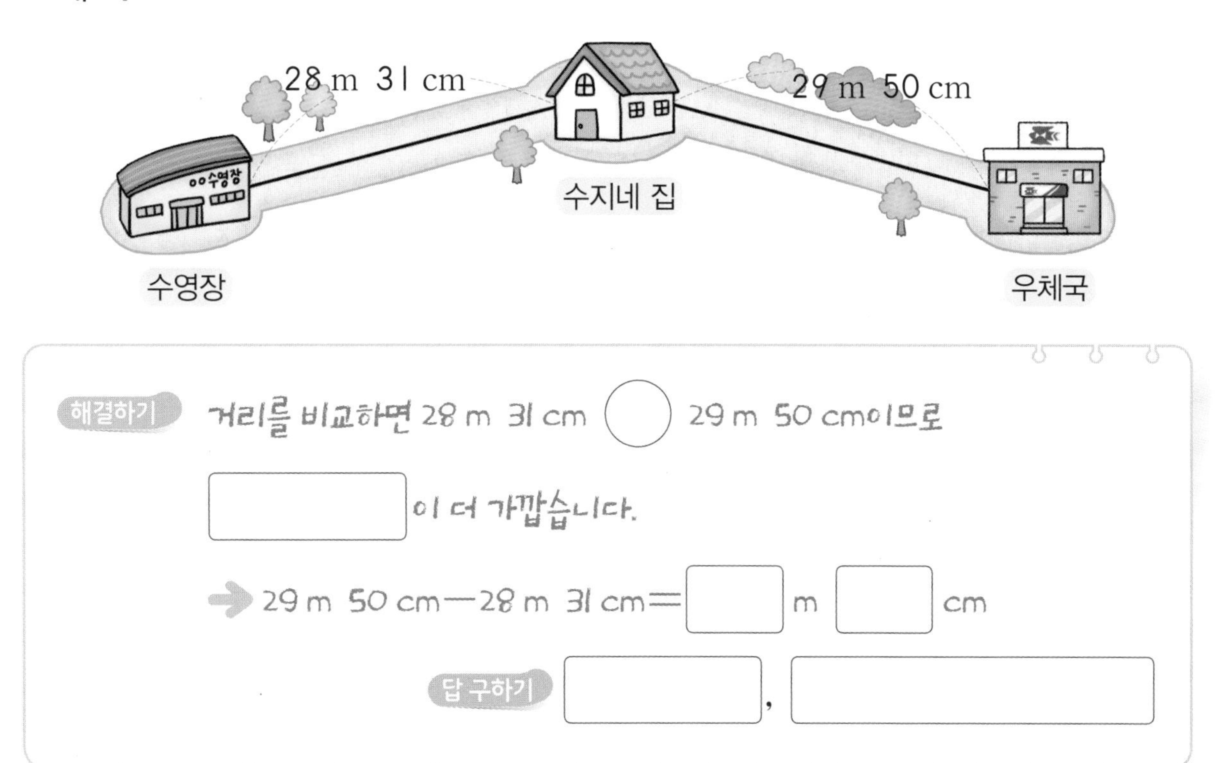

서술형 실천

4 동호네 집에서 학교와 마트 중 어느 곳이 몇 m 몇 cm 더 먼지 구해 보세요.

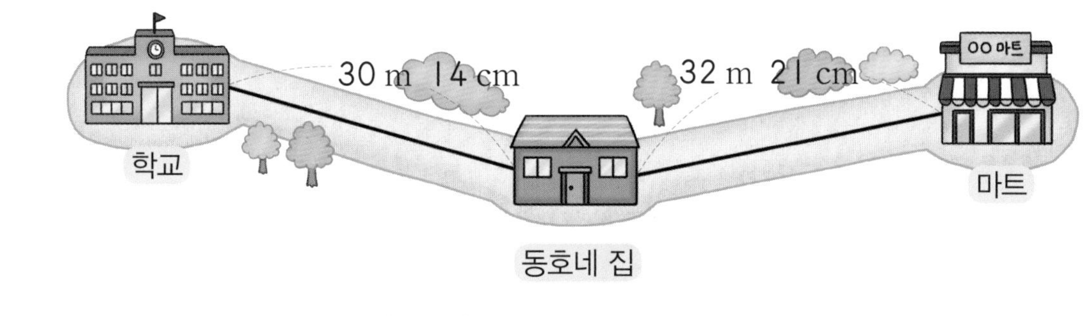

해결하기

답 구하기 ________, ________

PLAY 사고력 개념 스토리

완성한 옷 찾기

준비물 붙임딱지

두 가지 실을 사용하여 옷을 만들었습니다. 옷을 만드는 데 사용한 실의 길이의 합을 계산하여 알맞은 옷 붙임딱지를 찾아 붙여 보세요.

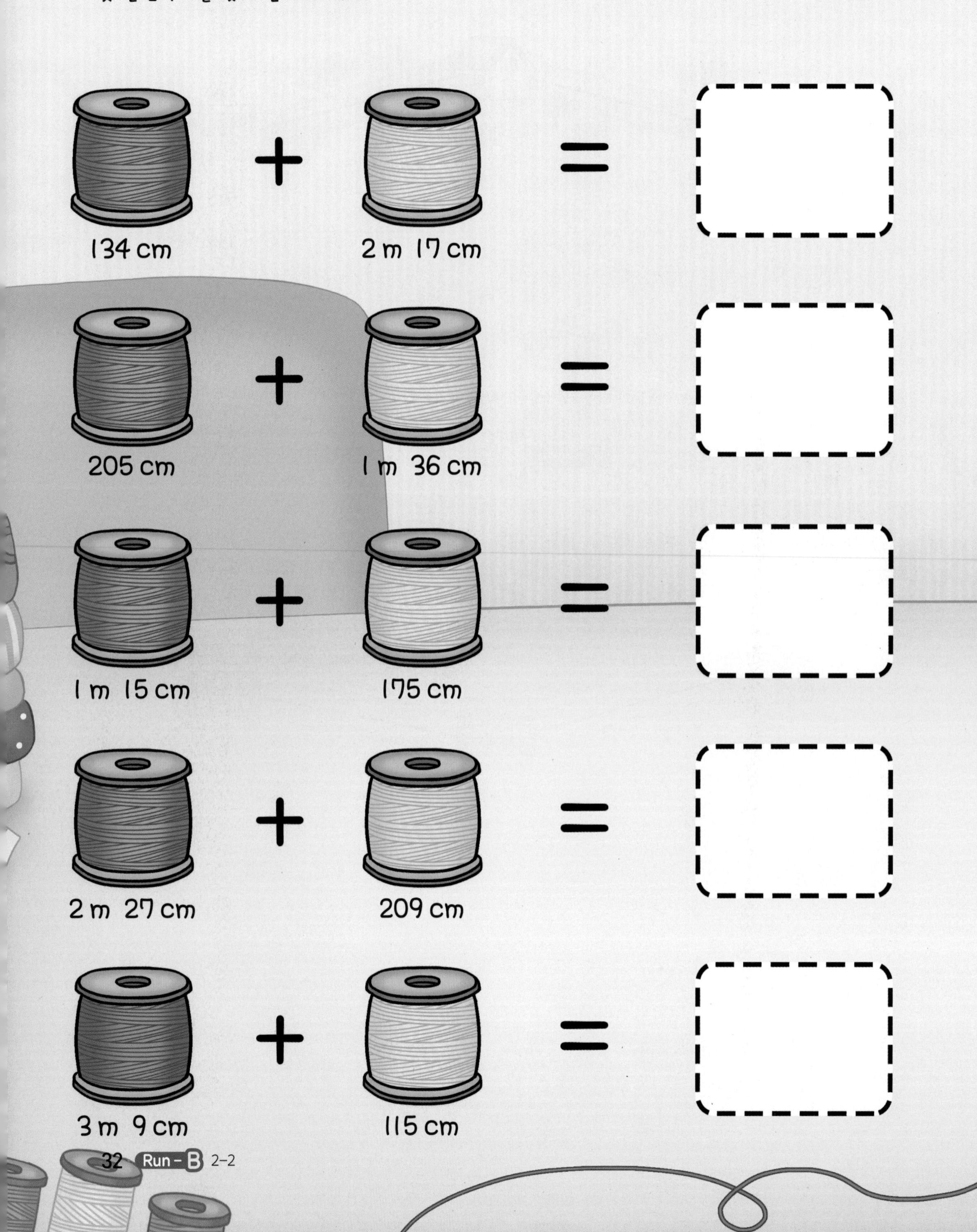

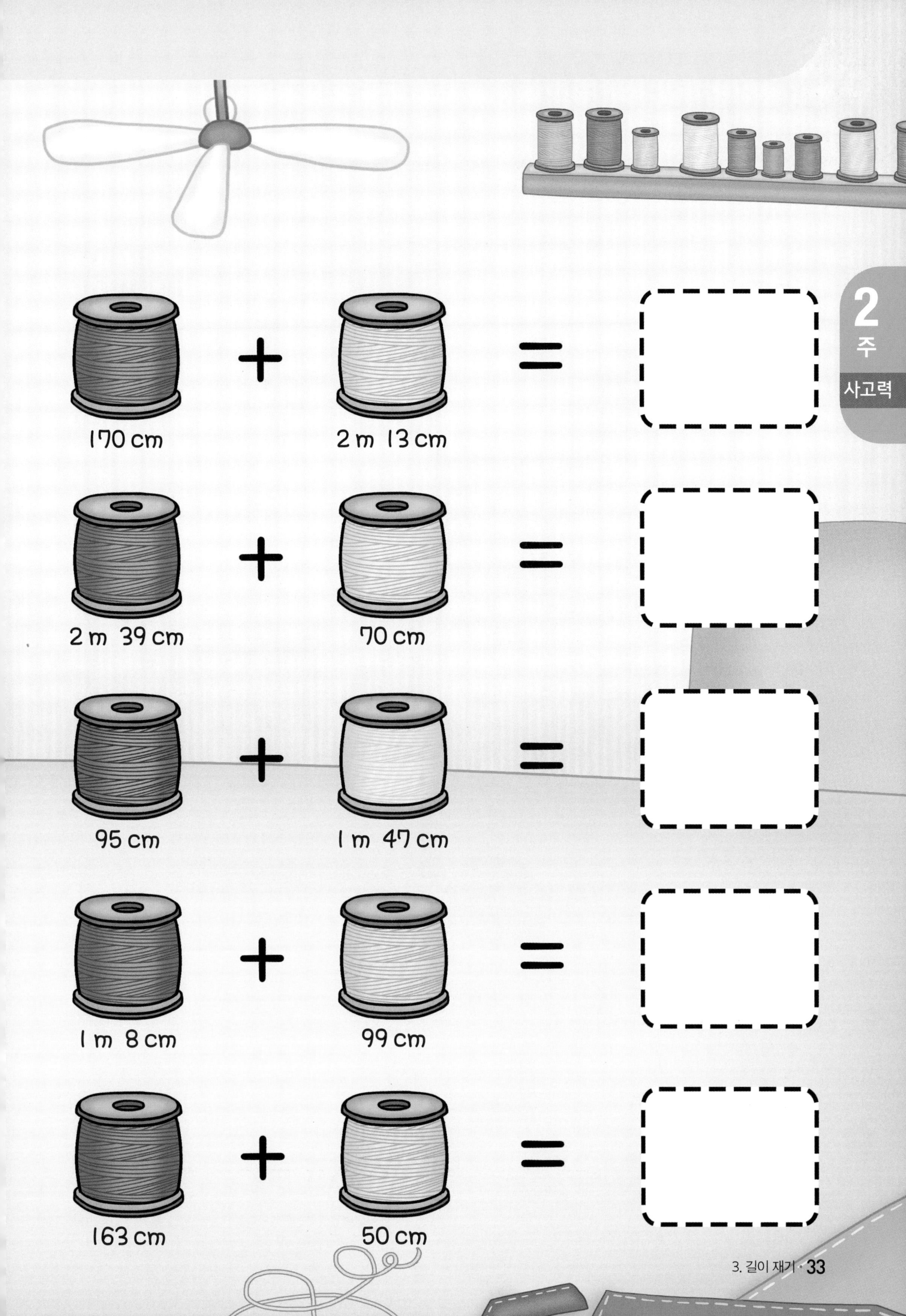
2
주
사고력
170 cm
2 m 13 cm
2 m 39 cm
70 cm
95 cm
1 m 47 cm
1 m 8 cm
99 cm
163 cm
50 cm

PLAY 사고력 개념 스토리

알맞은 건물 찾기

준비물 붙임딱지

학생들의 집에서 굵은 선을 따라 갔을 때 나오는 알맞은 건물 붙임딱지를 찾아 붙여 보세요.

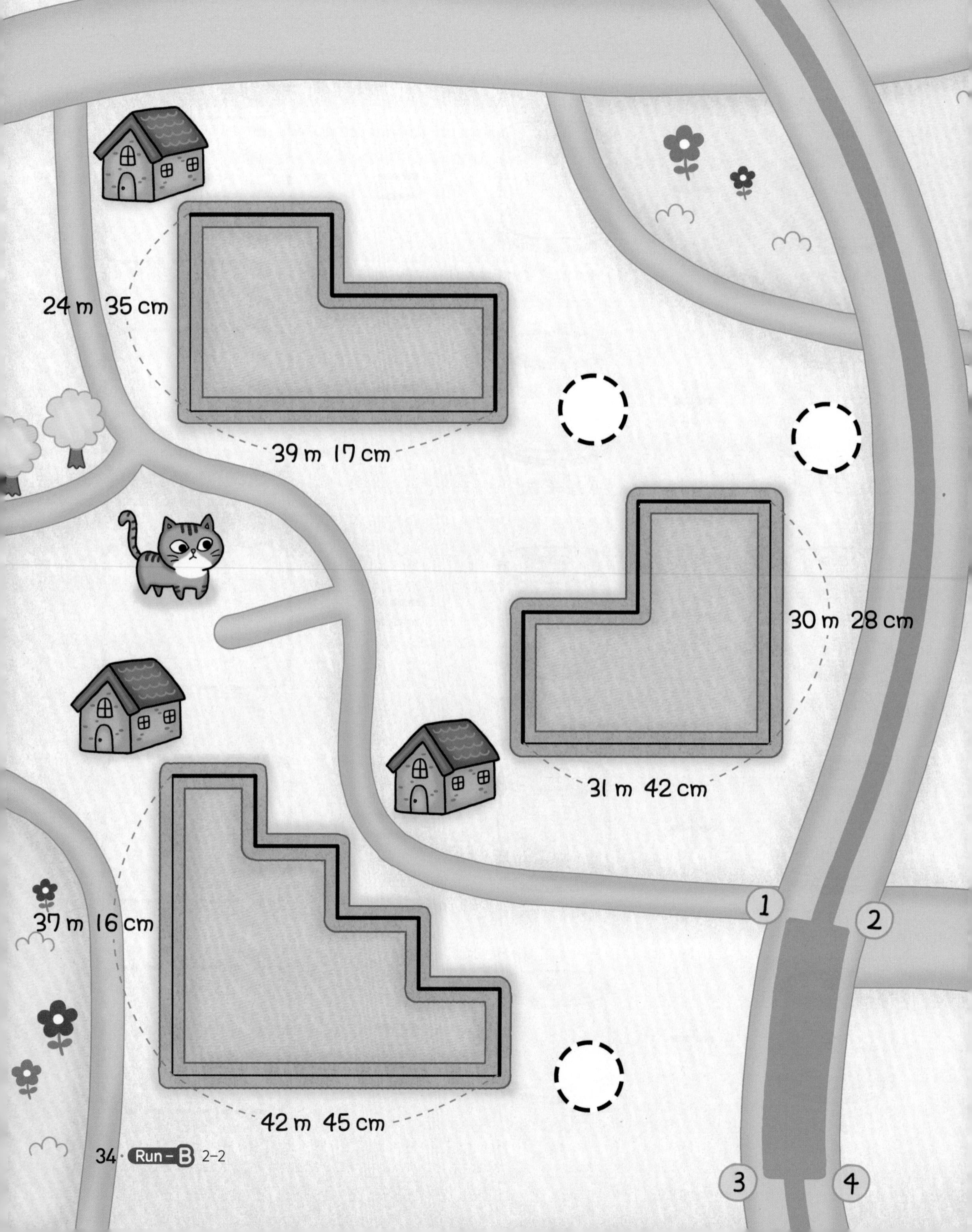

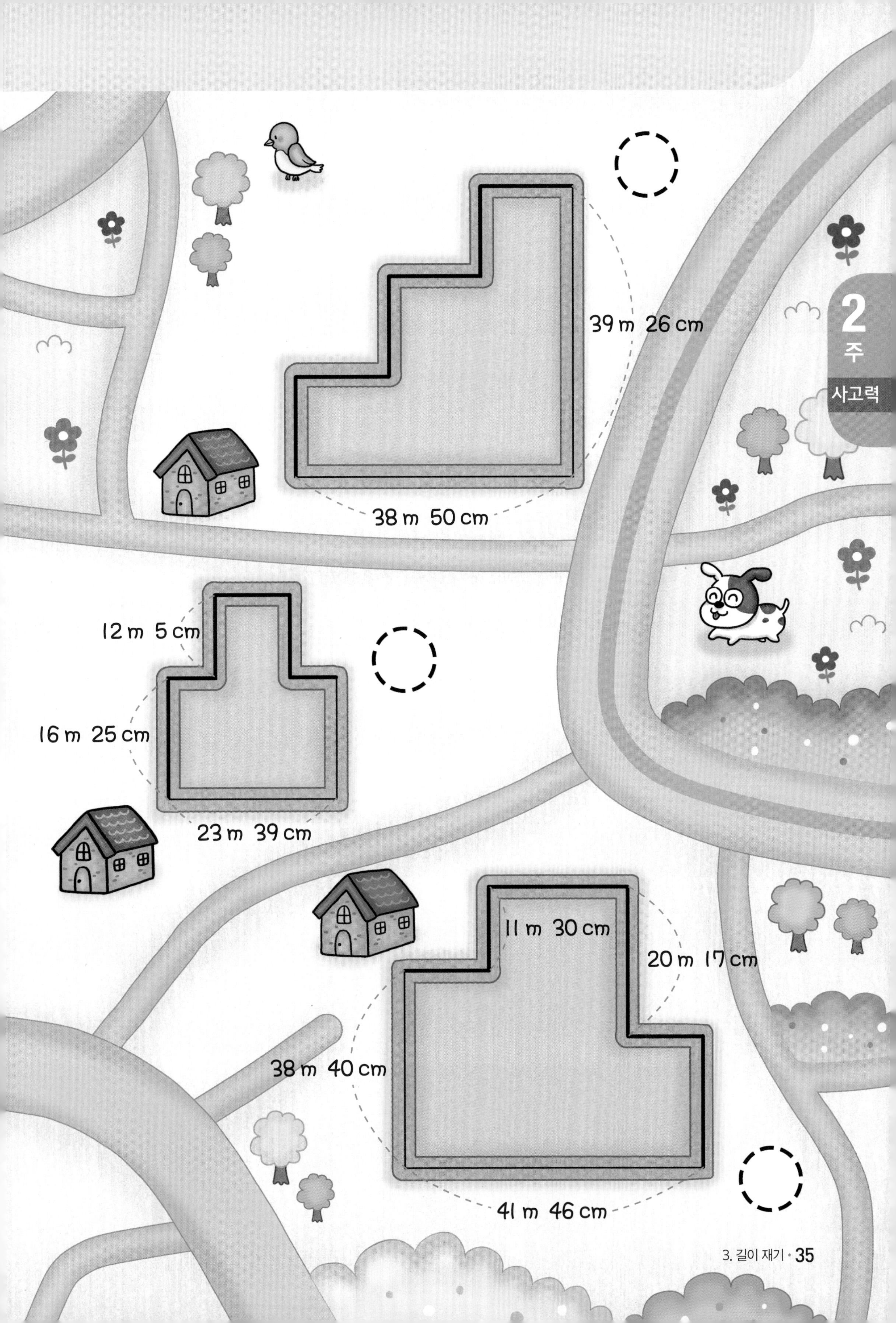
39 m 26 cm
38 m 50 cm
12 m 5 cm
16 m 25 cm
23 m 39 cm
11 m 30 cm
20 m 17 cm
38 m 40 cm
41 m 46 cm
2
주
사고력

1단계 교과 사고력 잡기

1 **민호와 진영이가 운동장에서 굴렁쇠 굴리기 연습을 하였습니다. 굴렁쇠의 굴러간 거리가 더 긴 학생은 누구인지 구해 보세요.**

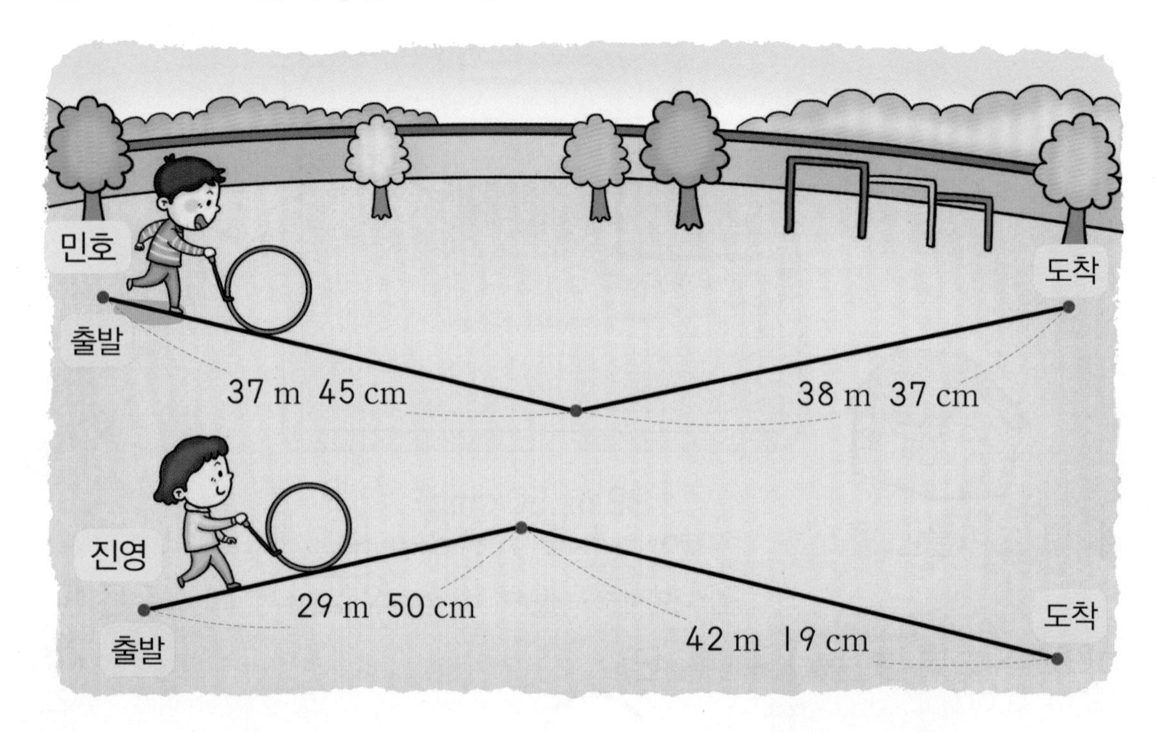

① 민호가 굴린 굴렁쇠의 굴러간 거리는 몇 m 몇 cm일까요?

( )

② 진영이가 굴린 굴렁쇠의 굴러간 거리는 몇 m 몇 cm일까요?

( )

③ 굴렁쇠의 굴러간 거리가 더 긴 학생은 누구일까요?

( )

정답과 풀이 p.9

2 ㉠부터 ㉣까지의 거리는 몇 m 몇 cm인지 구해 보세요.

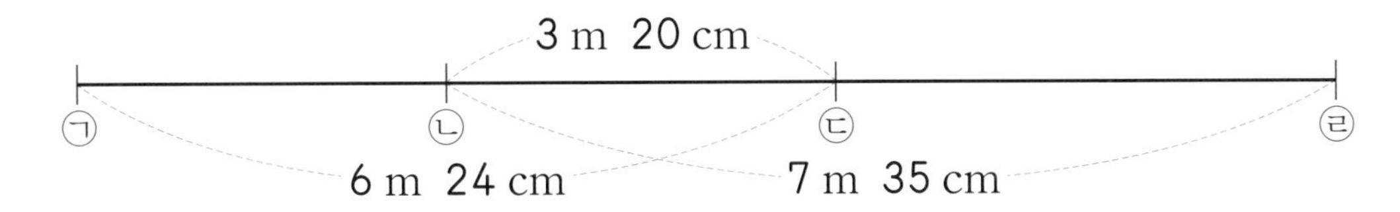

❶ ㉠부터 ㉢까지의 거리와 ㉡부터 ㉣까지의 거리의 합은 몇 m 몇 cm 일까요?

( )

❷ ㉠부터 ㉣까지의 거리는 몇 m 몇 cm일까요?

( )

3 ㉡부터 ㉢까지의 거리는 몇 m 몇 cm인지 구해 보세요.

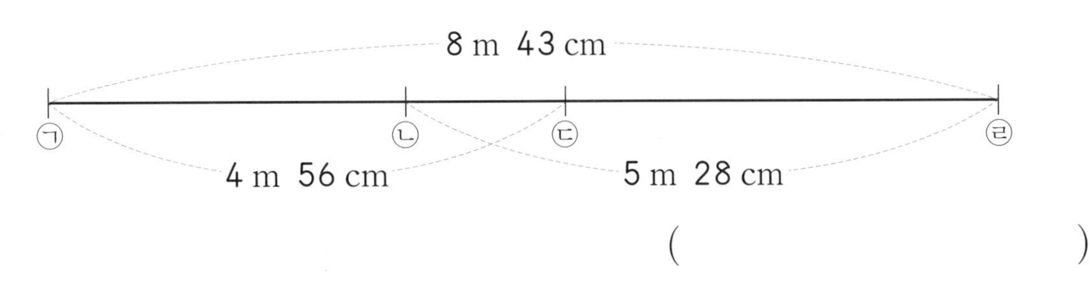

( )

2주 사고력

4

세 변의 길이가 모두 같은 삼각형과 네 변의 길이가 모두 같은 사각형이 있습니다. 두 도형의 둘레의 길이의 합은 몇 m 몇 cm인지 구해 보세요.

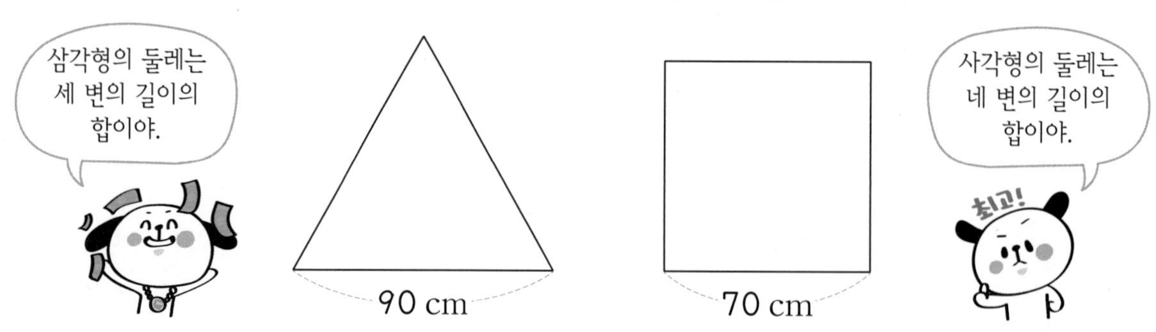
삼각형의 둘레는 세 변의 길이의 합이야.
90 cm
70 cm
사각형의 둘레는 네 변의 길이의 합이야.
최고!

① 삼각형의 세 변의 길이의 합은 몇 m 몇 cm일까요?

( )

② 사각형의 네 변의 길이의 합은 몇 m 몇 cm일까요?

( )

③ 두 도형의 둘레의 길이의 합은 몇 m 몇 cm일까요?

( )

5 **도로 한쪽에 처음부터 끝까지 80 cm 간격으로 나무를 9그루 심었습니다. 이 도로의 길이는 몇 m 몇 cm인지 구해 보세요.**

(단, 나무의 굵기는 모두 20 cm입니다.)

❶ 나무 사이의 간격은 모두 몇 군데일까요?

( )

❷ ㉠부터 ㉡까지의 길이는 몇 cm일까요?

( )

❸ 도로의 길이는 몇 m 몇 cm일까요?

( )

1 그림을 보고 □ 안에 알맞은 수를 써넣으세요.

① 기린의 키는 약 □ m입니다.

② 뱀의 몸 길이는 약 □ m입니다.

③ 염소의 몸 길이는 약 □ m입니다.

④ 코끼리의 키는 약 □ m입니다.

2 도서관 책꽂이 한 칸의 높이는 30 cm입니다. 학생들의 키는 약 몇 m 몇 cm인지 구해 보세요.

❶ 진주의 키는 약 몇 cm일까요?

( )

❷ 동호의 키는 약 몇 m 몇 cm일까요?

( )

❸ 민재의 키는 약 몇 m 몇 cm일까요?

( )

3 **혜미네 집에서 학교까지 가는 길을 나타낸 지도입니다. 혜미네 집에서 마트를 거쳐 학교까지 가는 거리는 몇 m 몇 cm인지 구해 보세요.**

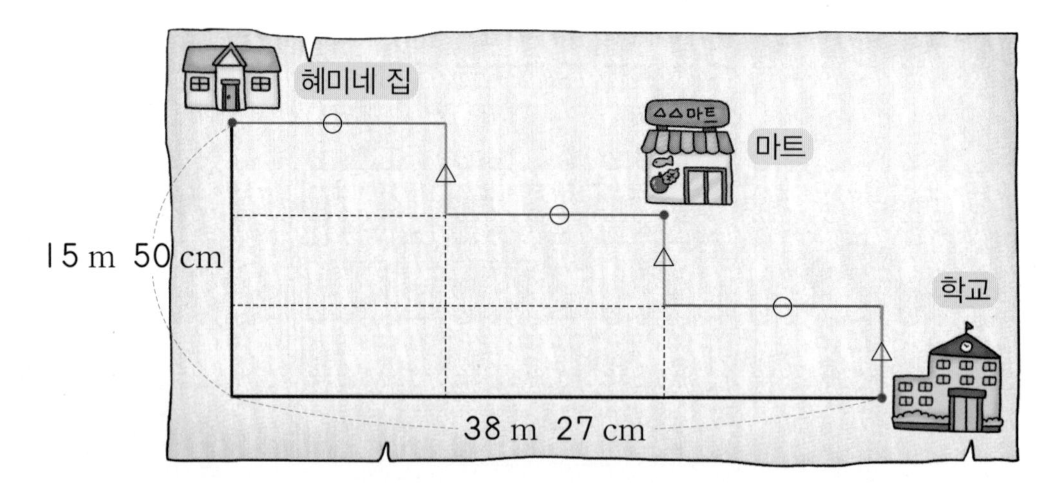

① 빨간색 선(○)의 길이의 합은 몇 m 몇 cm일까요?

( )

② 파란색 선(△)의 길이의 합은 몇 m 몇 cm일까요?

( )

③ 혜미네 집에서 마트를 거쳐 학교까지 가는 거리는 몇 m 몇 cm일까요?

( )

4

그림과 같이 끈으로 상자를 묶었습니다. 상자를 묶는 매듭의 길이가 30 cm일 때 상자를 묶는 데 사용한 끈의 길이로 알맞은 것을 찾아 선으로 이어 보세요.

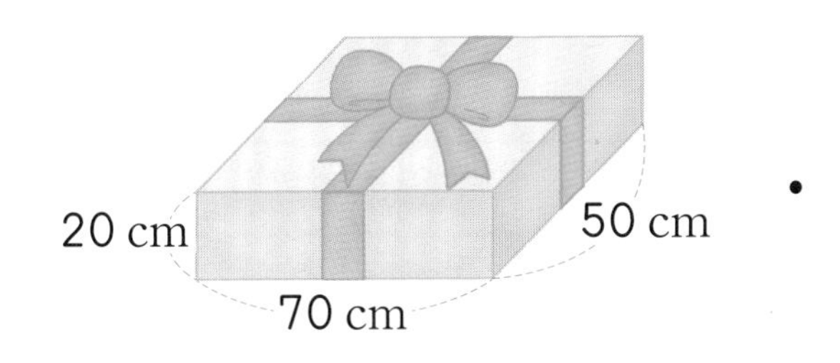

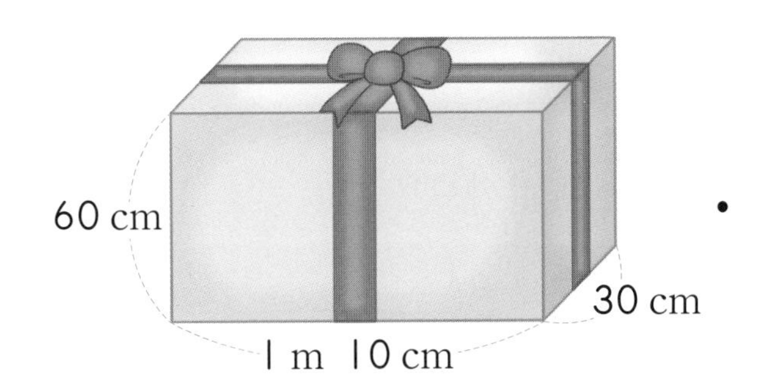

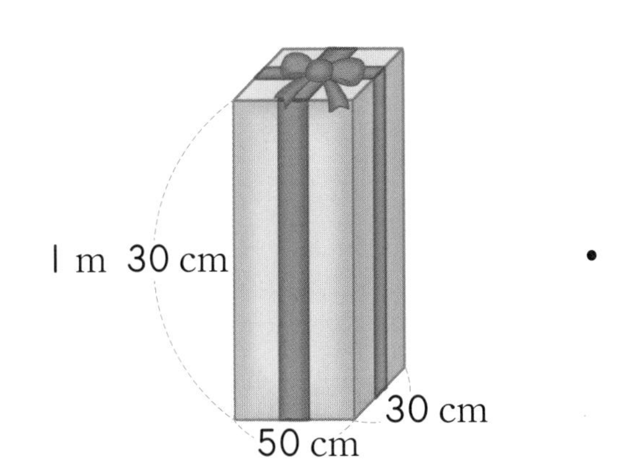

- 3 m 50 cm
- 4 m 50 cm
- 5 m 50 cm
- 7 m 10 cm

3단계 교과 사고력 완성

평가 영역 □개념 이해력 ☑개념 응용력 □창의력 ☑문제 해결력

1 다음은 집의 구조를 나타낸 그림입니다. 침실 2의 둘레의 길이를 구해 보세요.

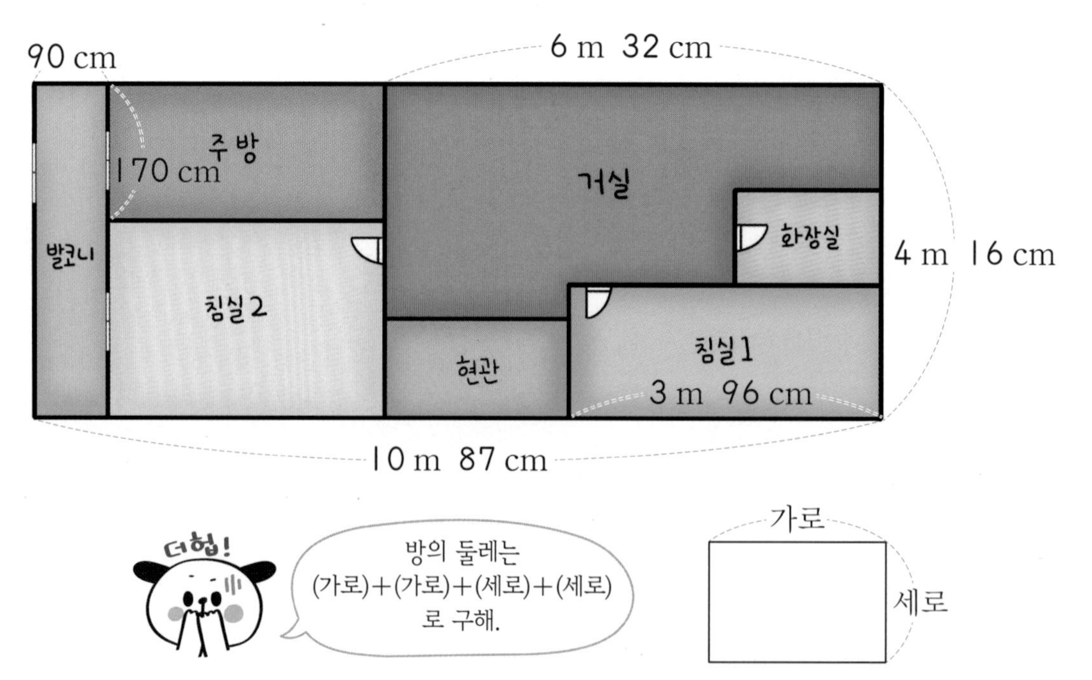

더헉!

방의 둘레는
(가로)+(가로)+(세로)+(세로)
로 구해.

가로
세로

① 침실 2의 가로 길이는 몇 m 몇 cm일까요?

( )

② 침실 2의 세로 길이는 몇 m 몇 cm일까요?

( )

③ 침실 2의 둘레의 길이는 몇 m 몇 cm일까요?

( )

평가 영역 □개념 이해력 □개념 응용력 ☑창의력 ☑문제 해결력

2

윤호 아버지의 키는 1 m 82 cm입니다. 가족들의 대화를 읽고 물음에 답하세요.

① 윤호의 키는 몇 m 몇 cm일까요?

( )

② 형의 키는 몇 m 몇 cm일까요?

( )

③ 어머니의 키는 윤호의 키보다 몇 cm 더 클까요?

( )

맞은 개수

1 길이를 바르게 읽어 보세요.

3 m 69 cm

(　　　　　　　　　　)

2 □ 안에 알맞은 수를 써넣으세요.

(1) 472 cm=□ m □ cm

(2) 6 m 91 cm=□ cm

3 우산의 길이는 몇 m 몇 cm일까요?

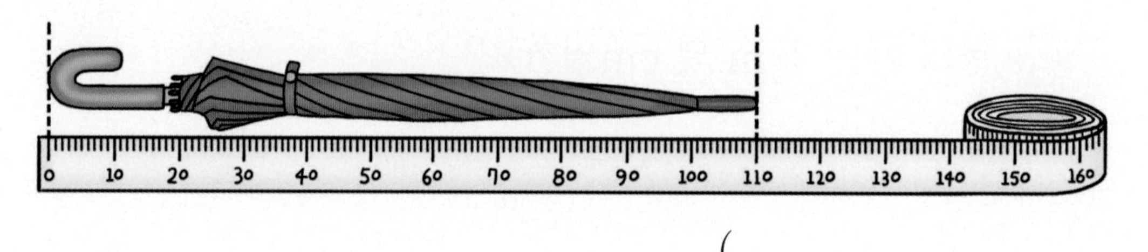

(　　　　　　　　　　)

4 길이를 비교하여 ○ 안에 >, =, <를 알맞게 써넣으세요.

405 cm 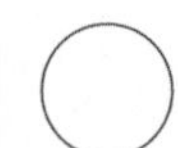 4 m 50 cm

5 길이의 합과 차를 각각 구해 보세요.

(1)

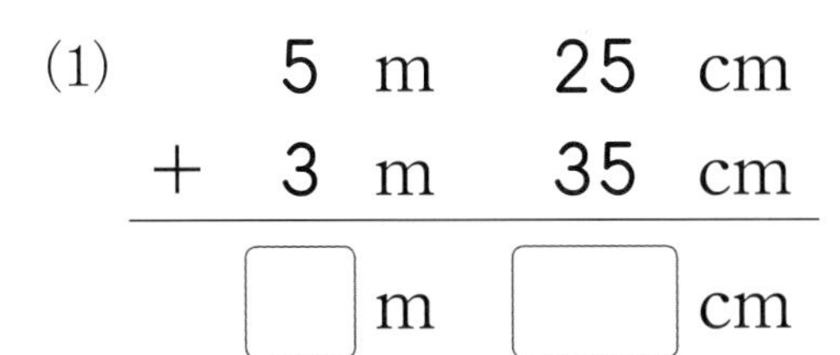

(2)

	8	m	72	cm
−	2	m	48	cm
	□	m	□	cm

2 주 평가

6 두 길이의 차를 구해 보세요.

9 m 70 cm　　6 m 23 cm

(　　　　　　　　)

7 두 리본을 겹치지 않게 이어 붙였을 때 이어 붙인 리본의 전체 길이는 몇 m 몇 cm일까요?

4 m 24 cm

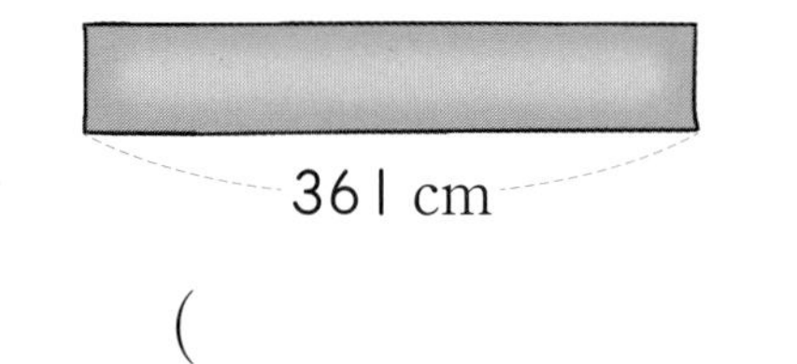

(　　　　　　　　)

8 길이가 1 m보다 긴 것에 ○표 하세요.

가위의 길이	교실 문의 높이	신발의 길이
(　　　)	(　　　)	(　　　)

9

진서의 키가 1 m일 때 기린의 키는 약 몇 m일까요?

( )

10

몸의 일부를 이용하여 공책 짧은 쪽의 길이를 재려고 합니다. 다음 방법 중 알맞은 것에 ○표 하세요.

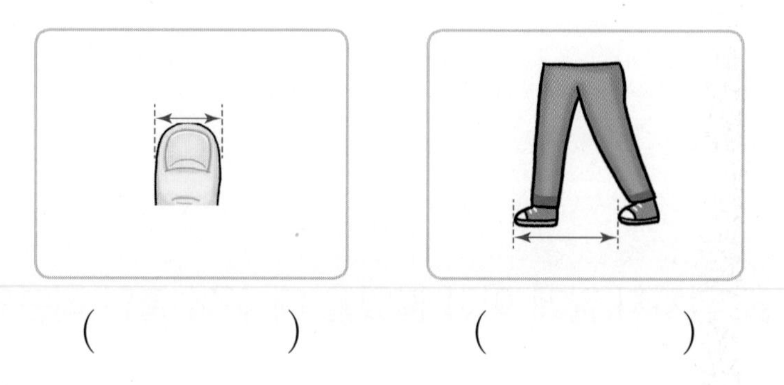

( ) ( )

11

cm와 m 중 알맞은 단위를 □ 안에 써넣으세요.

(1) 교실 긴 쪽의 길이는 약 10 □입니다.

(2) 색연필의 길이는 약 8 □입니다.

12

□ 안에 알맞은 수를 써넣으세요.

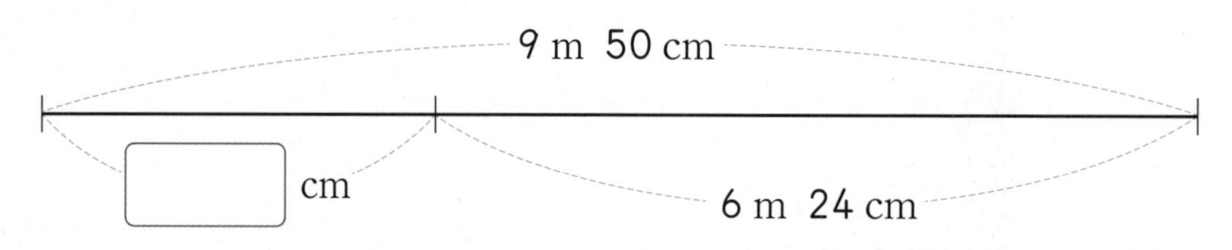

13 세 변의 길이가 모두 같은 삼각형입니다. 세 변의 길이의 합은 몇 m 몇 cm 일까요?

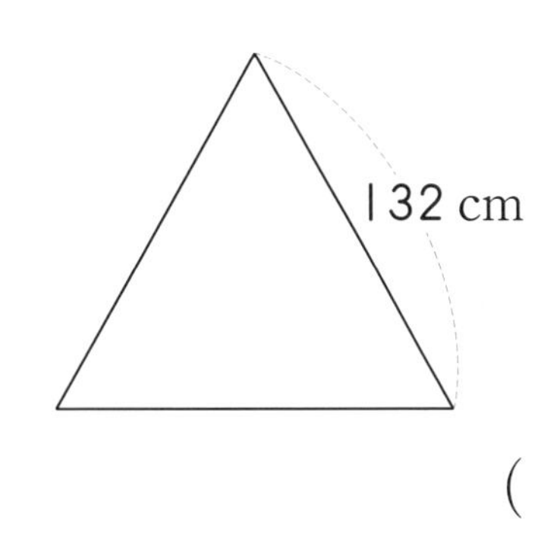

( )

14 다음 중 가장 긴 길이와 가장 짧은 길이의 차는 몇 m 몇 cm일까요?

㉠ 304 cm　　㉡ 310 cm
㉢ 4 m 16 cm　　㉣ 4 m 9 cm

( )

15 상혁이는 학교에서 병원을 지나 집까지 걸어갔습니다. 상혁이가 걸어간 거리는 몇 m 몇 cm일까요?

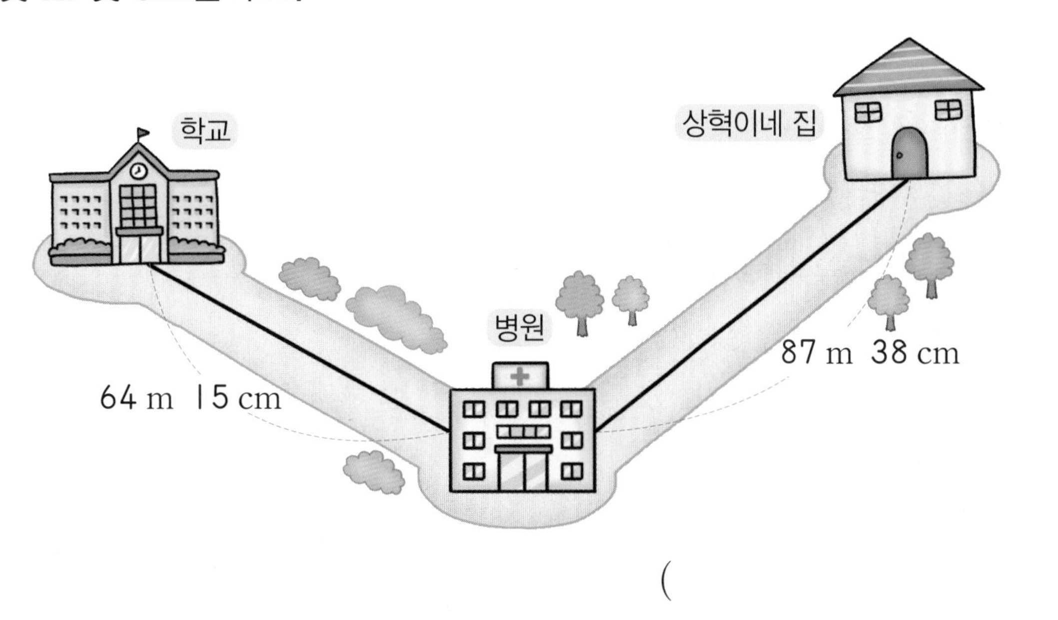

( )

16 색 테이프 두 장을 그림과 같이 겹치게 이어 붙였습니다. 이어 붙인 색 테이프의 전체 길이는 몇 m 몇 cm인지 구해 보세요.

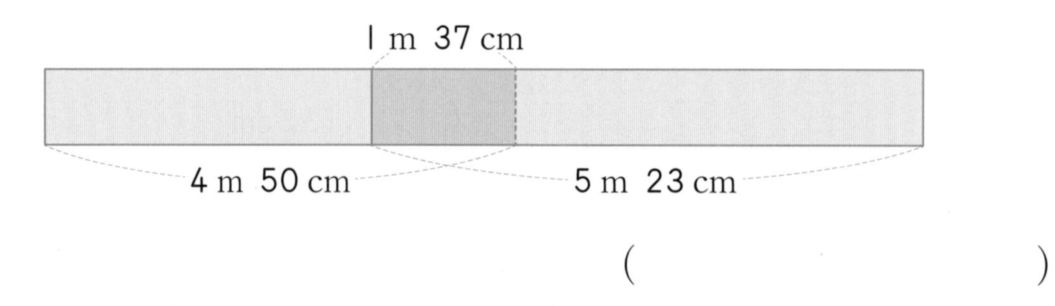

(　　　　　　　　)

17 수 카드 3장을 한 번씩 사용하여 길이 ■ m ▲● cm를 만들려고 합니다. 가장 긴 길이와 2 m 42 cm의 차를 구해 보세요.

(단, ■, ▲, ●는 한 자리 수입니다.)

(　　　　　　　　)

18 그림과 같이 리본으로 선물을 포장하려고 합니다. 매듭의 길이가 20 cm일 때 선물을 포장하는 데 사용한 리본은 모두 몇 m 몇 cm인지 구해 보세요.

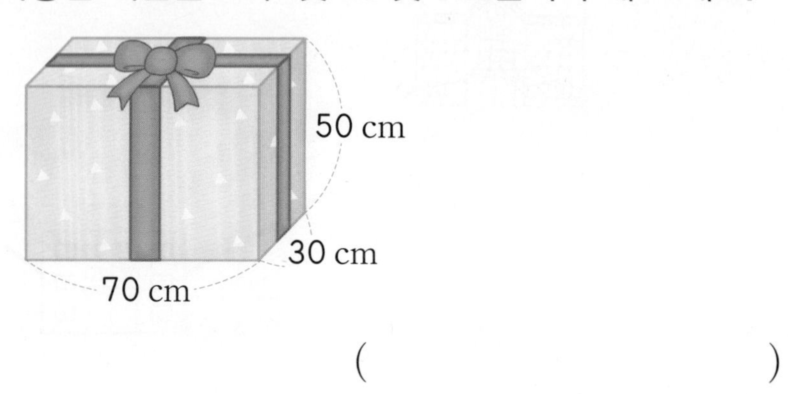

(　　　　　　　　)

특강 창의·융합 사고력

정답과 풀이 p.12

1 어느 건물의 지상 한 층의 높이는 3 m 26 cm이고, 지하 한 층의 높이는 2 m 45 cm입니다. 이 건물의 지하 2층부터 지상 3층까지의 높이는 몇 m 몇 cm인지 구해 보세요.

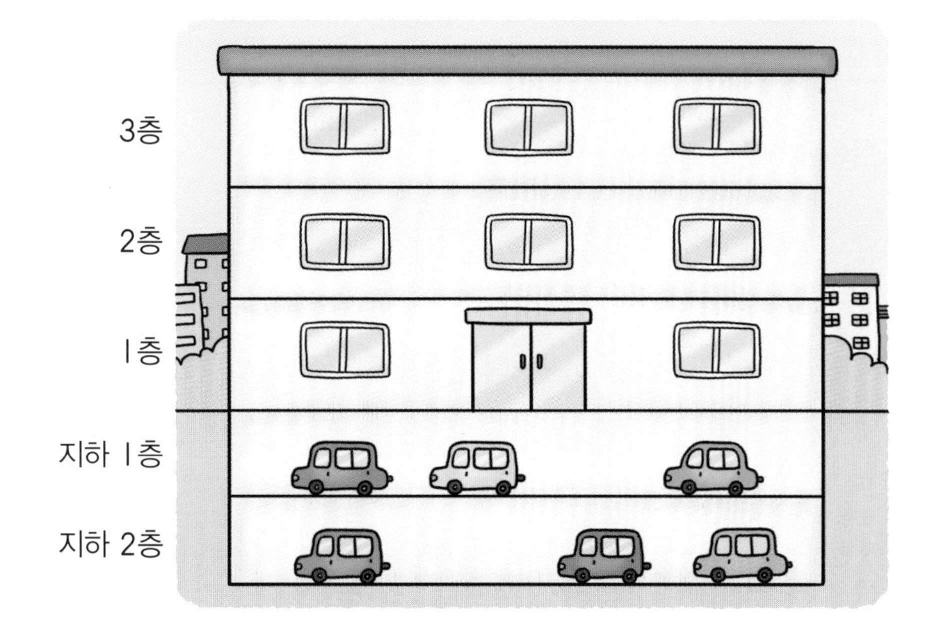

(1) 건물의 지상의 높이는 몇 m 몇 cm일까요?

( )

(2) 건물의 지하의 높이는 몇 m 몇 cm일까요?

( )

(3) 건물의 지하 2층부터 지상 3층까지의 높이는 몇 m 몇 cm일까요?

( )

4 시각과 시간

단원과 관련된
달력의 기원을
살펴보아요.

달력의 기원

현재 우리가 사용하고 있는 달력은 고대 이집트 사람들에 의해 만들어졌어요.

이집트에는 세계에서 가장 긴 나일강이 있는데 이 나일강의 범람이 되풀이되는 규칙을 찾아 집과 가축을 옮겨야만 했어요. 대신 나일강이 범람하여 홍수가 지나가고 나면 강가에 영양분과 비옥한 흙이 쌓여서 농사가 더욱 잘 되었어요.

그래서 이집트 사람들은 나일강이 흘러넘치는 시기를 좀 더 정확히 예측하기 위해서 열심히 관찰을 했고 결국 '시리우스'라는 별이 아침 해가 뜨기 직전 지평선에 나타나면 얼마 후 나일강이 흘러넘친다는 사실을 알았어요. 이것을 이용하여 1년을 365일로 맞추고 한 달을 30일, 1년을 12달로 정하고, 여기에 5일을 더했어요. 이렇게 태양의 움직임을 관찰해 만든 달력인 '태양력'을 만들었습니다.

강물이 언제
흘러넘칠까?

☆ **태양력:** 지구가 태양의 주위를 한 바퀴 도는 데 걸리는 시간을 1년으로 정해 만든 달력

태양을 중심으로 나만의 '태양력'을 만들어 보세요.

준비물 붙임딱지

개념 1 5분 단위까지 몇 시 몇 분 읽기

- 시계의 긴바늘이 가리키는 숫자가 1이면 5분, 2이면 10분, 3이면 15분……을 나타냅니다.
- 오른쪽 그림의 시계가 나타내는 시각은 7시 20분입니다.

짧은바늘은 7과 8 사이를 가리키고, 긴바늘은 4를 가리킵니다.

7시 20분

긴바늘이 가리키는 숫자	1	2	3	4	5	6	7	8	9	10	11	12
분	5	10	15	20	25	30	35	40	45	50	55	0

참고 짧은바늘이 ■와 ■+1 사이를 가리키고, 긴바늘이 ▲를 가리키면 ■시 (▲×5)분입니다.
(단, 짧은바늘이 12와 1 사이를 가리키면 12시 몇 분입니다.)

개념 2 1분 단위까지 몇 시 몇 분 읽기

- 시계에서 긴바늘이 가리키는 작은 눈금 한 칸은 1분을 나타냅니다.
- 오른쪽 그림의 시계가 나타내는 시각은 3시 12분입니다.

짧은바늘은 3과 4 사이를 가리키고, 긴바늘이 2에서 작은 눈금으로 2칸 더 간 곳을 가리킵니다.

3시 12분

참고 전자시계에서 ':' 앞의 수는 '시'를 나타내고, ':' 뒤의 수는 '분'을 나타냅니다.

4:56 → 4시 56분

시계의 긴바늘이 작은 눈금을 가리킬 때 시각을 어떻게 읽어?

긴바늘이 가리키는 작은 눈금에서 가까운 큰 눈금을 찾아 몇 칸이 더 또는 덜 갔는지 세어 보면 돼.

개념 확인 문제

1 시각을 써 보세요.

(1)

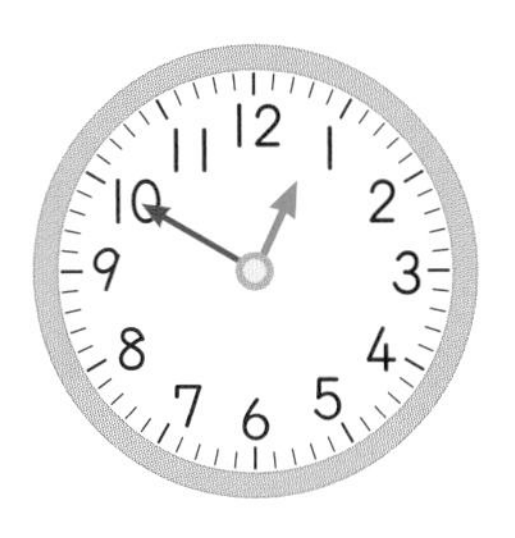

☐시 ☐분

(2)

☐시 ☐분

2-1 ☐ 안에 알맞은 수를 써넣으세요.

시계에서 긴바늘이 가리키는 작은 눈금 한 칸은 ☐분을 나타냅니다.

2-2 같은 시각을 나타내는 것끼리 선으로 이어 보세요.

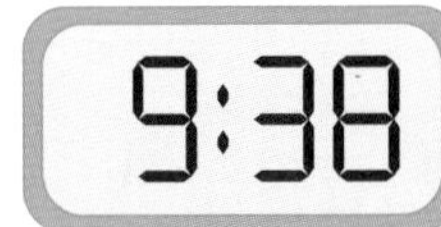

1단계 교과서 개념 잡기

개념 3 여러 가지 방법으로 시각 읽기

오른쪽 시계의 시각은 2시 55분입니다.
2시 55분을 3시 5분 전이라고도 합니다.

3시가 되기 5분 전의 시각

오른쪽 시계의 시각은 6시 45분입니다.
6시 45분을 7시 15분 전이라고도 합니다.

7시가 되기 15분 전의 시각

- 몇 시 몇 분 전을 시계에 나타내기

예 8시 10분 전을 시계에 나타내기

8시 10분 전은 7시 50분입니다.

짧은바늘: 7과 8 사이를 가리키게 나타냅니다.
긴바늘: 10을 가리키게 나타냅니다.

주의

몇 시 몇 분 전이라는 표현은 5분 전, 10분 전, 15분 전 등과 같이 실생활에서 자주 사용되는 경우만 다루며 그 외의 억지스럽거나 복잡한 경우는 다루지 않도록 주의합니다.

예

8시 40분 전

8시보다 7시에 가까우니까 7시 20분이라고 하는 게 더 좋겠어요.

5시 14분 전

5시가 되기 몇 분 전인지 알아보는 것보다 4시 46분이라고 하는 게 더 간편하겠어요.

개념 확인 문제

3-1 시각을 써 보세요.

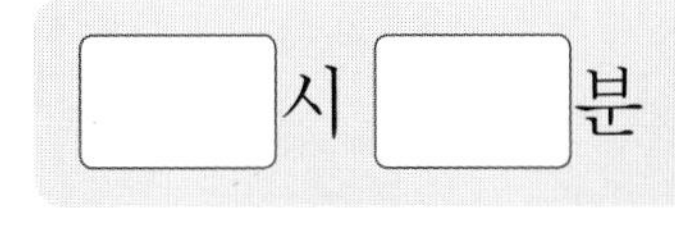

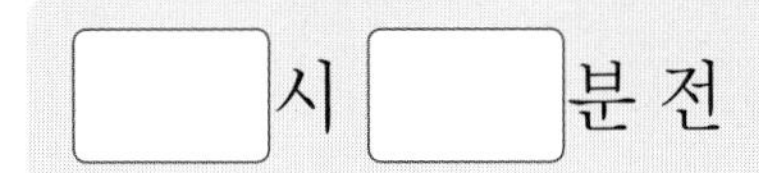

3-2 같은 시각을 나타내는 것끼리 선으로 이어 보세요.

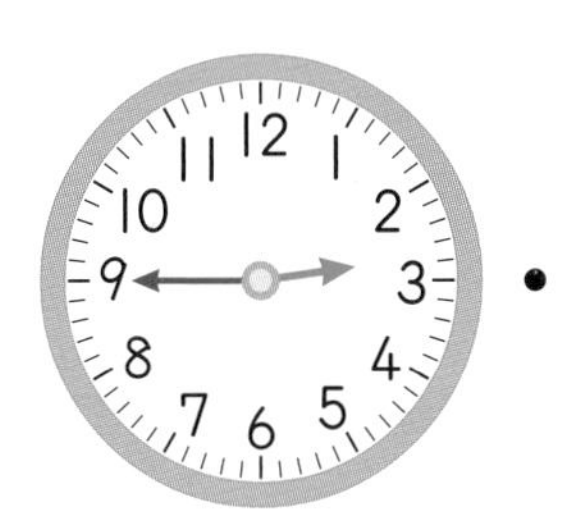

- 3시 15분 전
- 8시 10분 전
- 9시 10분 전

3-3 시각에 맞게 긴바늘을 그려 넣으세요.

(1) 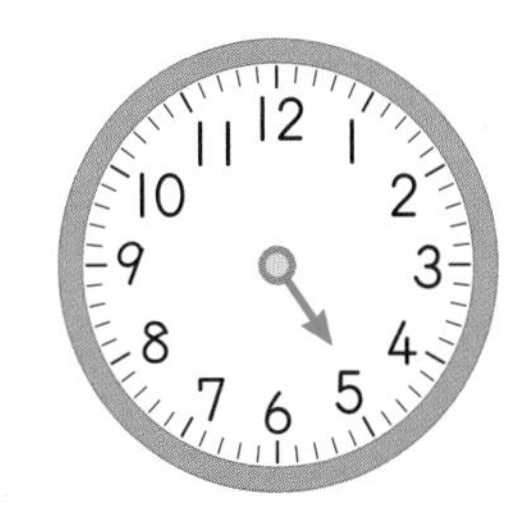

5시 10분 전

(2) 

9시 5분 전

개념 4 1시간 알아보기

• 시계의 긴바늘이 한 바퀴 도는 데 60분의 시간이 걸립니다.

• 시계의 짧은바늘이 4에서 5로 움직이는 데 1시간이 걸립니다.

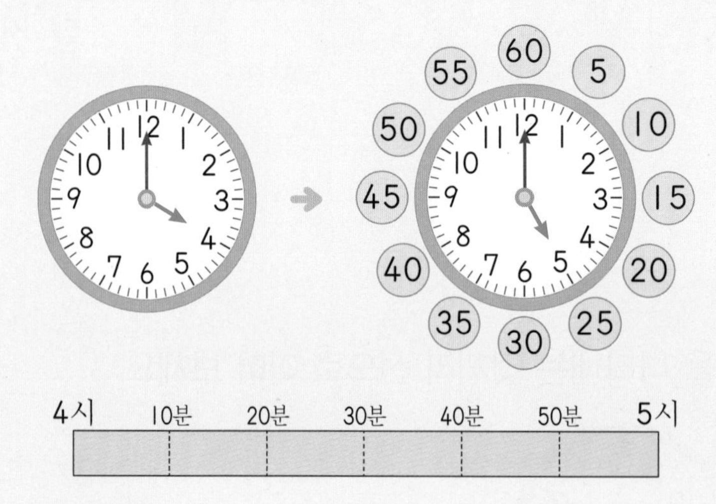

4시	10분	20분	30분	40분	50분	5시

• 60분은 1시간입니다.

60분=1시간

개념 5 걸린 시간 구하기

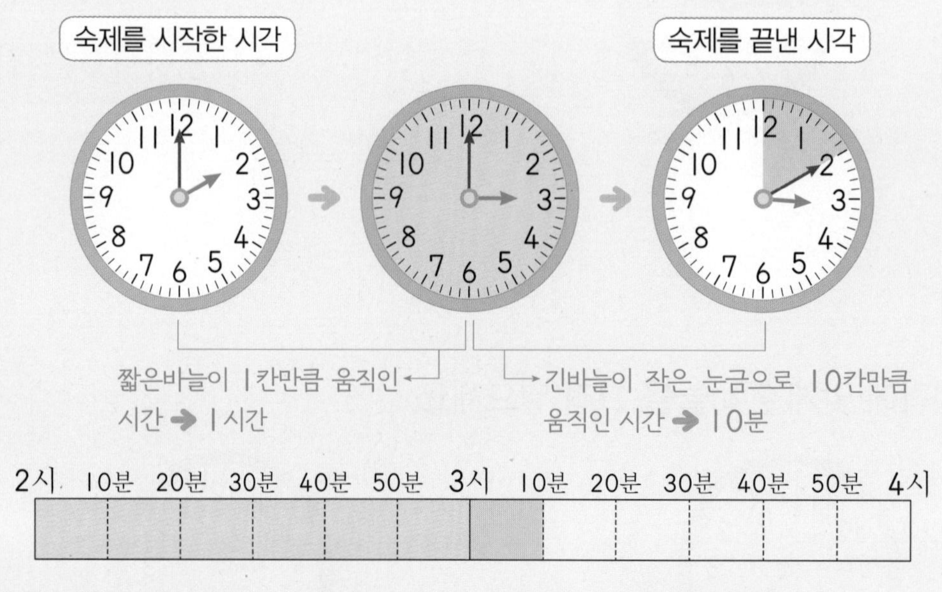

⇨ 숙제를 하는 데 걸린 시간은 1시간 10분=70분입니다.

참고 1시간 10분=60분+10분=70분

4-1 □ 안에 알맞은 수를 써넣으세요.

시계의 긴바늘이 한 바퀴 도는 데 □분의 시간이 걸립니다.

4-2 □ 안에 알맞은 수를 써넣으세요.

(1) 2시간=□분

(2) 100분=□시간 □분

(3) 1시간 15분=□분

(4) 190분=□시간 □분

5 버스가 도착하는 데 걸린 시간을 구해 보세요.

(1) 버스가 도착하는 데 걸린 시간을 시간 띠에 나타내어 보세요.

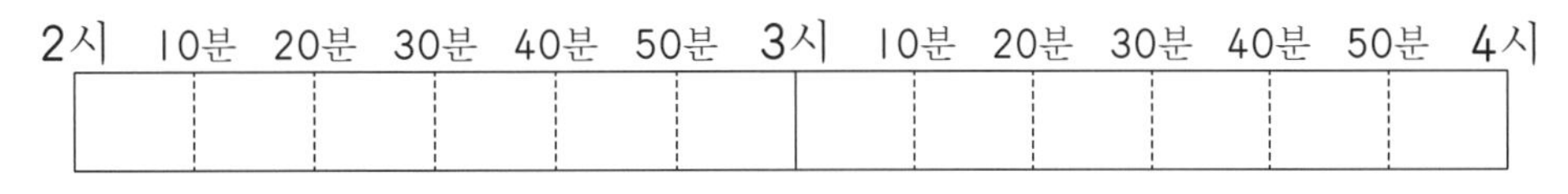

(2) 버스가 도착하는 데 걸린 시간은 □시간 □분입니다.

(3) □시간 □분=□분

1 단계 교과서 개념 잡기

개념 6 하루의 시간 알아보기

• 하루는 24시간입니다.

1일=24시간

• 전날 밤 12시부터 낮 12시까지를 오전이라 하고 낮 12시부터 밤 12시까지를 오후라고 합니다.

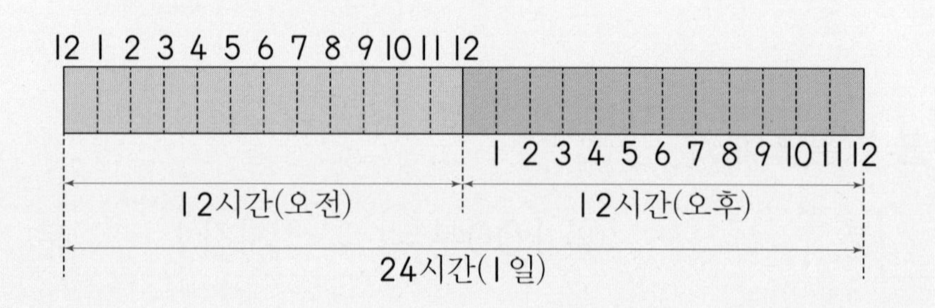

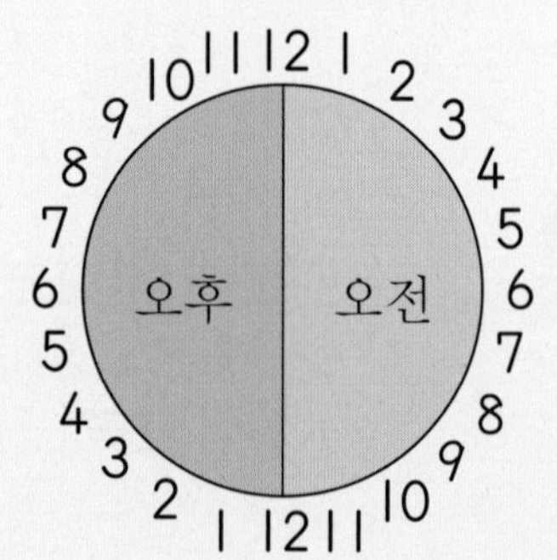

개념 7 달력 알아보기

일	월	화	수	목	금	토
	1	2	3	4	5	6
7	8	9	10	11	12	13
14	15	16	17	18	19	20
21	22	23	24	25	26	27
28	29	30				

• 같은 요일은 7일마다 반복됩니다.

• 1주일은 7일입니다.

1주일=7일

• 1년 알아보기

월	1	2	3	4	5	6	7	8	9	10	11	12
날수(일)	31	28 (29)	31	30	31	30	31	31	30	31	30	31

• 1년은 12개월입니다.

1년=12개월

• 1년은 365일입니다.

6

오전과 오후에 알맞게 선으로 이어 보세요.

오전	오후

밤 10시	새벽 2시	아침 7시	낮 1시

7-1

□ 안에 알맞은 수를 써넣으세요.

(1) 3주일=□일

(2) 14개월=□년 □개월

7-2

어느 해의 5월 달력을 보고 물음에 답하세요.

5월

일	월	화	수	목	금	토
			1	2	3	4
5	6	7	8	9	10	11
12	13	14	15	16	17	18
19	20	21	22	23	24	25
26	27	28	29	30	31	

(1) 5월 5일 어린이날은 무슨 요일일까요?

(　　　　　　　)

(2) 어린이날부터 2주일 후는 며칠일까요?

(　　　　　　　)

PLAY 교과서 개념 스토리 시계 맞추기

준비물 붙임딱지

괘종시계의 시각을 알아보려고 해요. 괘종시계의 아랫부분에 알맞은 시각 붙임딱지를 찾아 붙여 보세요.

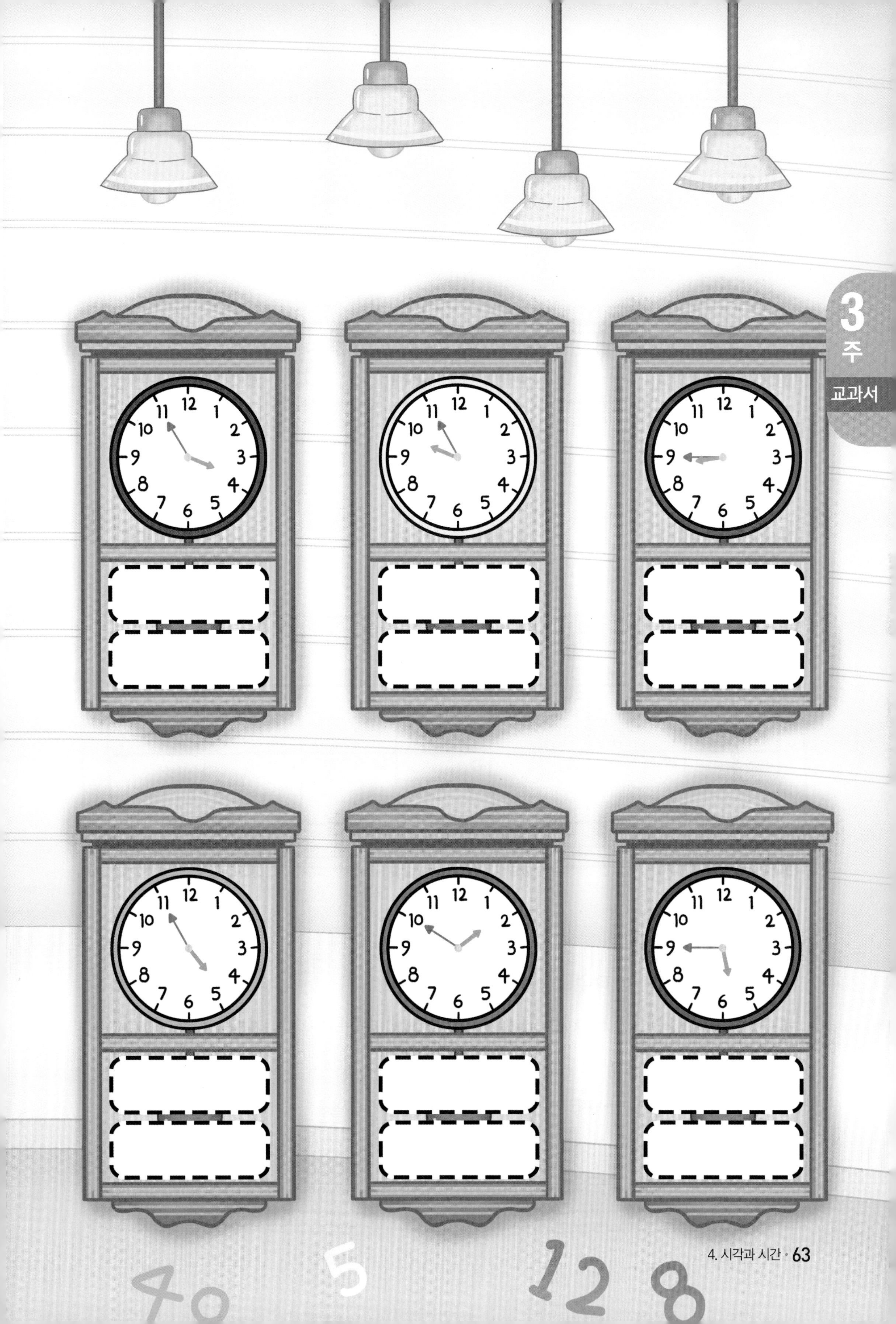

3
주
교과서

PLAY 교과서 개념 스토리

달력 완성하기

준비물 붙임딱지

보미의 다이어리에 있는 내용을 읽고 달력에 알맞은 붙임딱지를 찾아 붙여 보세요.

4월

일	월	화	수	목	금	토
			1	2	3	4
5	6	7	8	9	10	11
12	13	14	15	16	17	18
19	20	21	22	23	24	25
26	27	28	29	30		

- 4월 5일 식목일이 동생 생일이었어.
- 매주 토요일에 태권도를 했지.
- 동생 생일 3일 전과 2주일 4일 후에는 치킨을 먹었어.
- 첫째 화요일에서 2주일 후에 동생과 옷을 사러 갔어.
- 둘째 수요일에서 1주일 4일 후에 딸기 농장에 갔지.
- ______________________

일	월	화	수	목	금	토
	1	2	3	4	5	6
7	8	9	10	11	12	13
14	15	16	17	18	19	20
21	22	23	24	25	26	27
28	29	30				

- 15일이 내 생일이었어.
- 내 생일에서 1주일 3일 후가 엄마 생일이었지.
- 매주 수요일에는 수영을 하러 갔어.
- 셋째 금요일에 치킨을 먹었어.
- 첫째 일요일에서 2주일 후에 옷을 사러 갔어.
- 첫째 화요일과 그로부터 2주일 후에 떡볶이를 먹으러 갔어.
-

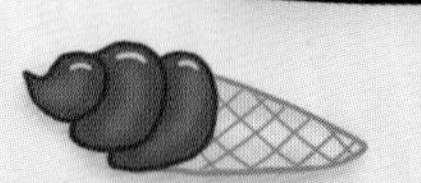

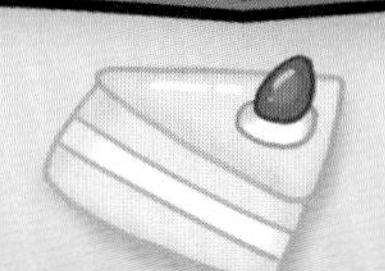

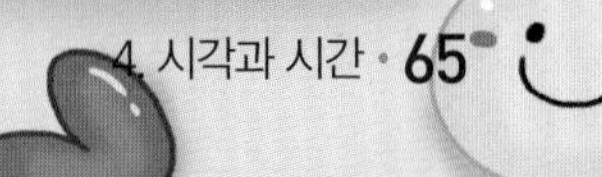

개념 1 몇 시 몇 분 알아보기 (1)

01 시계의 긴바늘이 가리키는 숫자가 몇 분을 나타내는지 빈칸에 알맞은 수를 써넣으세요.

숫자	1	2	3		5	6		8	9		11	12
분	5	10		20			35	40		50		0

02 다음 설명을 읽고 □ 안에 알맞은 수를 써넣으세요.

- 시계의 짧은바늘은 4와 5 사이에 있습니다.
- 시계의 긴바늘은 9를 가리키고 있습니다.

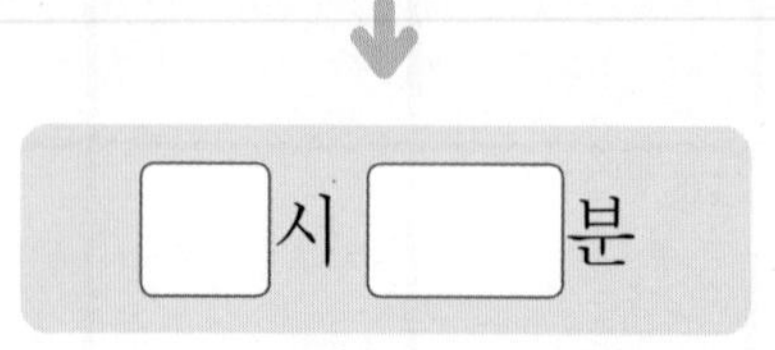

03 시각에 맞게 긴바늘을 그려 넣으세요.

8시 15분

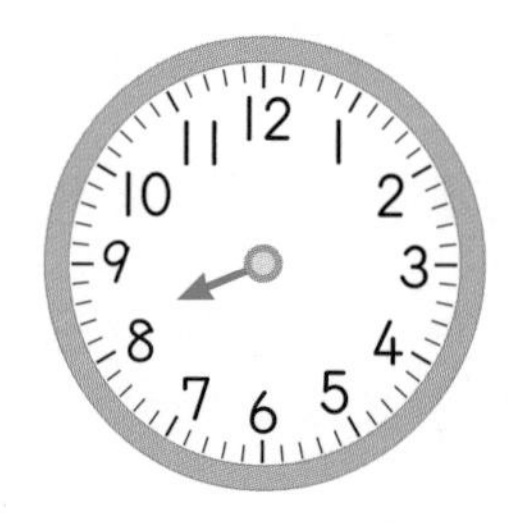

개념 2 몇 시 몇 분 알아보기 (2)

04 11시 32분을 나타내는 시계에 ○표 하세요.

( )

( )

05 같은 시각을 나타내는 것끼리 선으로 이어 보세요.

3:17 •

3:32 •

6:17 •

• 

• 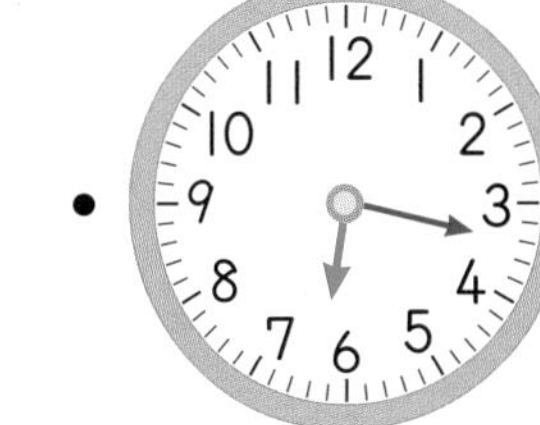

06 다음 설명을 읽고 □ 안에 알맞은 수를 써넣으세요.

- 시계의 짧은바늘이 1과 2 사이에 있습니다.
- 시계의 긴바늘은 4에서 작은 눈금으로 2칸 덜 간 곳을 가리킵니다.

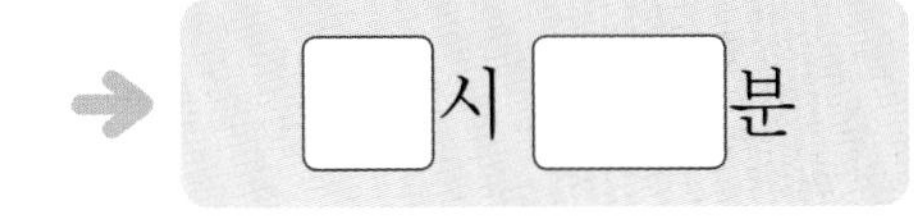

개념 3 여러 가지 방법으로 시각 읽기

07 시계의 시각을 몇 시 몇 분 전으로 읽어 보세요.

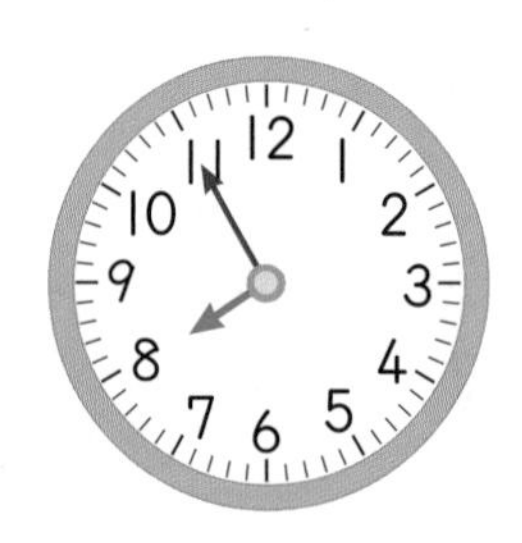

( )

08 □ 안에 알맞은 수를 써넣으세요.

3시 15분 전은 □시 □분입니다.

09 대화를 읽고 더 일찍 학교에 도착한 사람을 찾아 ○표 하세요.

나는 오늘 아침 8시 40분에 도착했어.
나는 오늘 아침 9시 10분 전에 도착했어.
준수
나은

( ) ( )

개념 4 | 1시간 알아보기

10 두 시계를 보고 시간이 얼마나 지났는지 시간 띠에 나타내어 보세요.

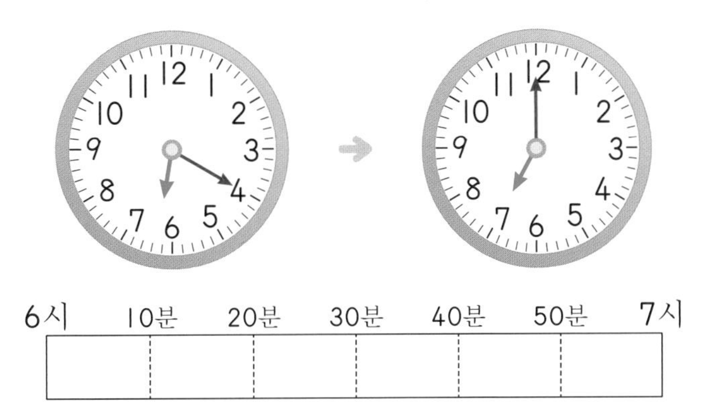

11 다음 중 틀린 것을 찾아 기호를 써 보세요.

㉠ 1시간 25분=85분
㉡ 115분=1시간 55분
㉢ 200분=2시간 20분
㉣ 2시간 14분=134분

( )

12 더 긴 시간을 찾아 ○표 하세요.

1시간 40분	110분
( )	( )

개념 5 **하루의 시간 알아보기**

13

□ 안에 알맞은 수를 써넣으세요.

(1) 3일=□시간

(2) 28시간=□일 □시간

14

모형 시계의 바늘을 움직였을 때 나타내는 시각을 써 보세요.

(1) 긴바늘을 한 바퀴 돌렸을 때: (오전 , 오후) □시 □분

(2) 짧은바늘을 한 바퀴 돌렸을 때: (오전 , 오후) □시 □분

15

연주가 놀이공원에 있었던 시간을 시간 띠에 나타내어 구해 보세요.

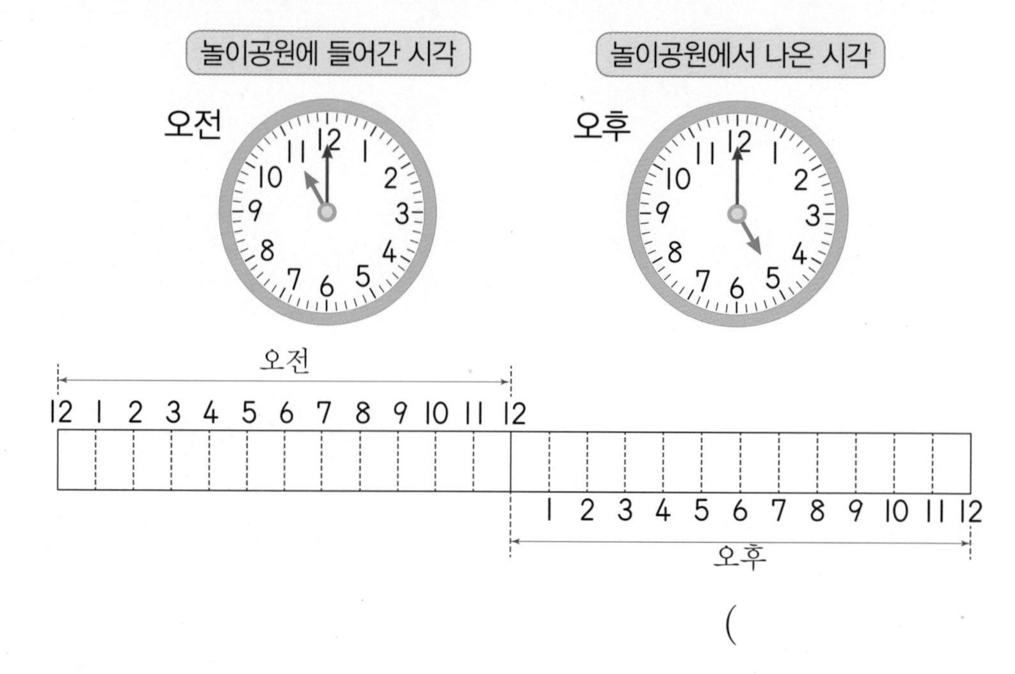

(   )

3 주
교과서

개념 6 달력 알아보기

16 날수가 같은 달끼리 짝 지은 것을 찾아 기호를 써 보세요.

㉠ 3월, 6월　㉡ 2월, 7월
㉢ 7월, 8월　㉣ 10월, 11월

(　　　　　　　　)

[17~18] 어느 해의 6월 달력을 보고 물음에 답하세요.

6월

일	월	화	수	목	금	토
				1	2	3
4	5	6	7	8	9	10
11	12	13	14	15	16	17
18	19	20	21	22	23	24
25	26	27	28	29	30	

17 수요일의 날짜를 모두 써 보세요.

(　　　　　　　　)

18 6월 6일 현충일부터 1주일 후가 엄마의 생일입니다. 엄마의 생일은 며칠일까요?

(　　　　　　　　)

3 단계 교과서 실력 다지기

거울에 비친 시계의 시각 읽어 보기

1 오른쪽은 거울에 비친 시계의 모습입니다. 이 시계가 나타내는 시각은 몇 시 몇 분일까요?

답 ____________

개념 피드백
- 짧은바늘이 ●와 ●+1 사이를 가리키면 ●시 몇 분입니다.
- 긴바늘이 가리키는 숫자가 1이면 5분, 2이면 10분, 3이면 15분……을 나타냅니다.

1-1 오른쪽은 거울에 비친 시계의 모습입니다. 이 시계가 나타내는 시각은 몇 시 몇 분일까요?

( )

1-2 오른쪽은 거울에 비친 시계의 모습입니다. 이 시계가 나타내는 시각은 몇 시 몇 분 전일까요?

( )

시작한 시각 구하기

2 진주는 1시간 15분 동안 운동을 하였습니다. 운동을 끝낸 시각이 3시 30분이라면 운동을 시작한 시각은 몇 시 몇 분일까요?

답 ______________

개념 피드백
- 시계의 긴바늘이 한 바퀴 도는 데 60분의 시간이 걸립니다.
- 60분=1시간

2-1 승기는 2시간 20분 동안 영화를 보았습니다. 영화가 끝난 시각이 7시라면 영화가 시작한 시각은 몇 시 몇 분일까요?

(　　　　　　　　)

2-2 영진이는 1시간 10분 동안 수영을 했습니다. 수영을 끝내고 나온 시각이 12시 40분이라면 수영을 시작한 시각은 몇 시 몇 분일까요?

(　　　　　　　　)

3주 교과서

3단계 교과서 실력 다지기

★ 긴바늘이 도는 횟수 구하기

3 시계의 짧은바늘이 3에서 6까지 가는 동안에 긴바늘은 모두 몇 바퀴 돌까요?

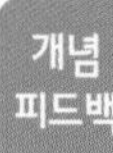

- 시계의 긴바늘이 한 바퀴 도는 데 60분의 시간이 걸립니다.
- 시계의 짧은바늘이 숫자 한 칸 움직이는 데 60분의 시간이 걸립니다.

3-1 다음과 같이 시간이 지나는 동안 시계의 긴바늘은 모두 몇 바퀴 돌까요?

(　　　　　　　　　　)

3-2 다음과 같이 시간이 지나는 동안 시계의 긴바늘은 모두 몇 바퀴 돌까요?

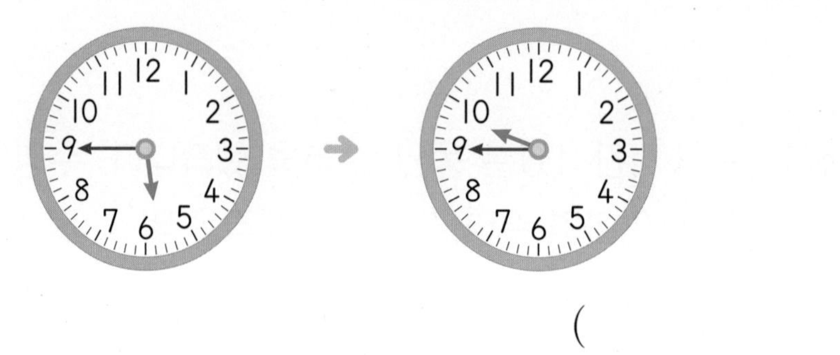

(　　　　　　　　　　)

각 달의 날수 구하기

4 1년 중 30일까지 있는 달을 모두 써 보세요.

답 ________________

개념 피드백
- 1년은 1월부터 12월까지 있습니다.
- 2월은 28일 또는 29일까지 있습니다.

4-1 날수가 같은 달끼리 선으로 이어 보세요.

		3월
4월		
		2월
12월		
		9월

4-2 승호는 5월 1일부터 6월 15일까지 어학 캠프를 갔습니다. 며칠 동안 어학 캠프에 있었을까요?

(　　　　　　　)

3 단계 교과서 실력 다지기

기간 구하기

5 전시장에서 박람회가 4월 15일부터 5월 23일까지 열린다고 합니다. 박람회가 열리는 기간은 며칠일까요?

답 ____________

개념 피드백

월	1	2	3	4	5	6	7	8	9	10	11	12
날수(일)	31	28(29)	31	30	31	30	31	31	30	31	30	31

5-1 꽃 축제가 5월 9일부터 6월 15일까지 열린다고 합니다. 꽃 축제가 열리는 기간은 며칠일까요?

( )

5-2 농구 대회가 열리는 기간은 며칠일까요?

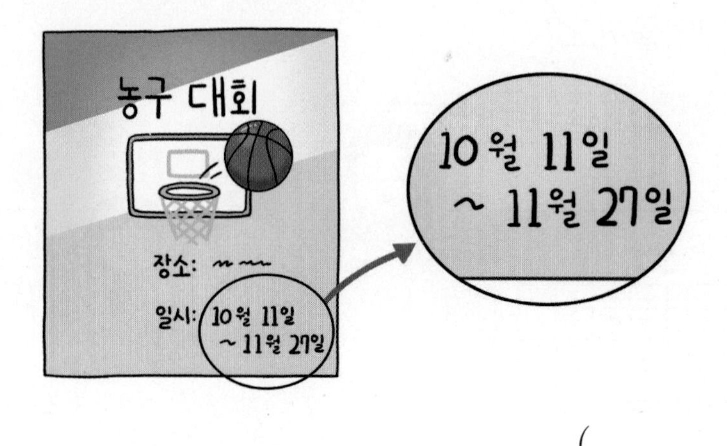

( )

달력의 일부 활용하기

6 어느 해 3월 달력의 일부입니다. 이달의 둘째 수요일은 며칠일까요?

답 ____________

개념 피드백
- 일주일은 7일입니다.
- 같은 요일은 7일마다 반복됩니다.

6-1 어느 해 6월 달력의 일부입니다. 이달에는 토요일이 몇 번 있을까요?

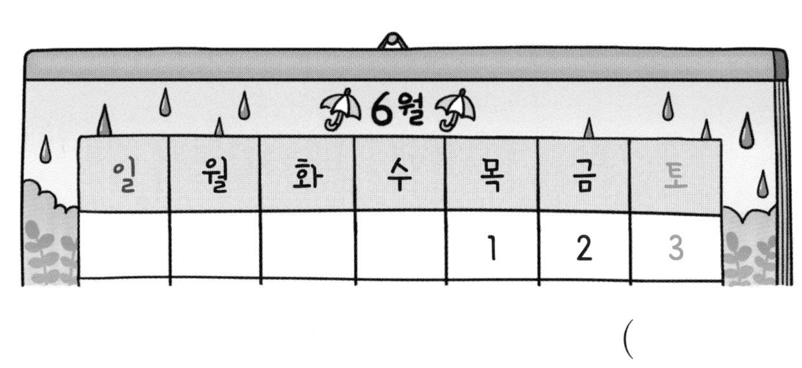

(　　　　　　　　)

6-2 어느 해 12월 달력의 일부입니다. 이달의 수요일의 날짜를 모두 써 보세요.

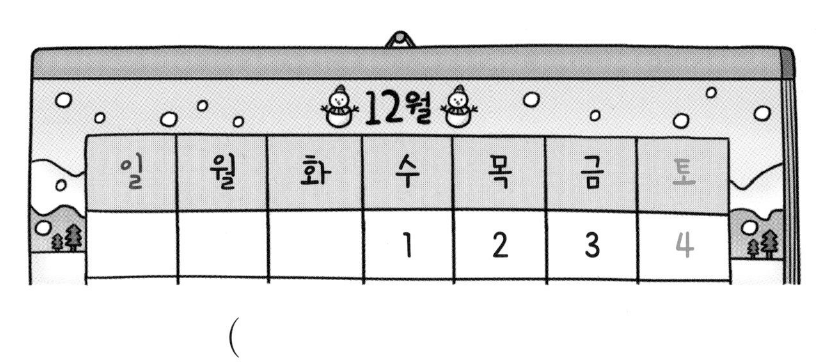

(　　　　　　　　　　　　　　　　)

교과서 서술형 연습

서술형 연습 **1** 어느 해의 3월 2일은 목요일입니다. 같은 해 3월의 셋째 목요일은 며칠인지 구해 보세요.

구하려는 것, 주어진 것에 선을 그어 봅니다.

해결하기 3월은 ☐ 일까지 있습니다.

3월의 목요일의 날짜를 모두 써 보면

________________ 입니다.

따라서 3월의 셋째 목요일은 ☐ 일입니다.

답 구하기 ☐

서술형 실전 **2** 어느 해의 9월 7일은 토요일입니다. 같은 해 9월의 마지막 토요일은 며칠인지 구해 보세요.

구하려는 것, 주어진 것에 선을 그어 봅니다.

해결하기 ________________

____

____

____

답 구하기 ________________

지민이가 책을 읽은 시간은 몇 시간 몇 분인지 구해 보세요.

해결하기 시작한 시각인 ☐시 ☐분에서 4시 10분까지가 ☐시간이고,

4시 10분에서 끝낸 시각인 ☐시 ☐분까지가 ☐분입니다.

따라서 책을 읽은 시간은 ☐시간 ☐분입니다.

답 구하기 ☐

혜미가 영화를 본 시간은 몇 시간 몇 분인지 구해 보세요.

시작한 시각 → 끝난 시각

해결하기

답 구하기

시계 수리하기

준비물 붙임딱지

시계가 고장 나서 수리를 맡기러 온 손님들로 가게가 꽉 찼습니다. 시계를 바르게 수리하여 알맞은 시계 붙임딱지를 찾아 붙여 보세요.

정확한 시계보다 1시간 5분 느려요.
정확한 시계보다 2시간 15분 느려요.
정확한 시계보다 2시간 30분 빨라요.

정확한 시계보다
1시간 10분 빨라요.

정확한 시계보다
1시간 20분 느려요.

정확한 시계보다
1시간 35분 빨라요.

PLAY 사고력 개념 스토리 할인 쿠폰 찾기

준비물 붙임딱지

주어진 포스터를 보고 알맞은 할인 쿠폰 붙임딱지를 찾아 붙여 보세요.

꽃 박람회
장소 : 0000
일시 : 4월 21일
~ 5월 13일

미술 전시회

장소 : 0000

일시 : 1월 15일
~ 2월 5일

도자기 전시회
장소 : 0000
일시 : 3월 23일
~ 4월 10일

인물 사진전

장소 : ○○○○

일시 : 8월 24일 ~ 9월 7일

재활용품 전시회

장소 : ○○○○

일시 : 5월 23일 ~ 6월 16일

유물 박물관

장소 : ○○○○

일시 : 6월 26일 ~ 7월 15일

콩 축제

장소 : ○○○○

일시 : 11월 18일 ~ 12월 4일

1 **축구 경기가 3시 10분에 시작되었습니다. 축구 경기가 끝난 시각은 몇 시 몇 분일까요? (단, 연장전은 없었습니다.)**

① 전반전이 끝난 시각은 몇 시 몇 분일까요?

( )

② 휴식 시간을 보낸 후의 시각은 몇 시 몇 분일까요?

( )

③ 축구 경기가 끝난 시각은 몇 시 몇 분일까요?

( )

정답과 풀이 p.21

2

어느 해의 12월 달력입니다. 다영이가 할머니 댁에 방문할 날짜는 몇 월 며칠일까요?

12월

일	월	화	수	목	금	토
			1	2	3	4
5	6	7	8	9	10	11
12	13	14	15	16	17	18
19	20	21	22	23	24	25
26	27	28	29	30	31	

나는 네가 제주도 간 날부터 1주일 4일 후에 할머니 댁에 가.

다영

1. 승기가 제주도 간 날부터 1주일 후는 며칠일까요?

   (   )

2. 다영이가 할머니 댁에 방문할 날짜는 몇 월 며칠일까요?

   (   )

3 우리나라와 다른 나라는 시간 차이(=시차)가 있습니다. 우리나라 시각을 보고 각 나라의 시각을 시계에 표시해 보세요.

태국	2시간 느림	뉴질랜드	3시간 빠름
프랑스	7시간 느림	호주(시드니)	1시간 빠름

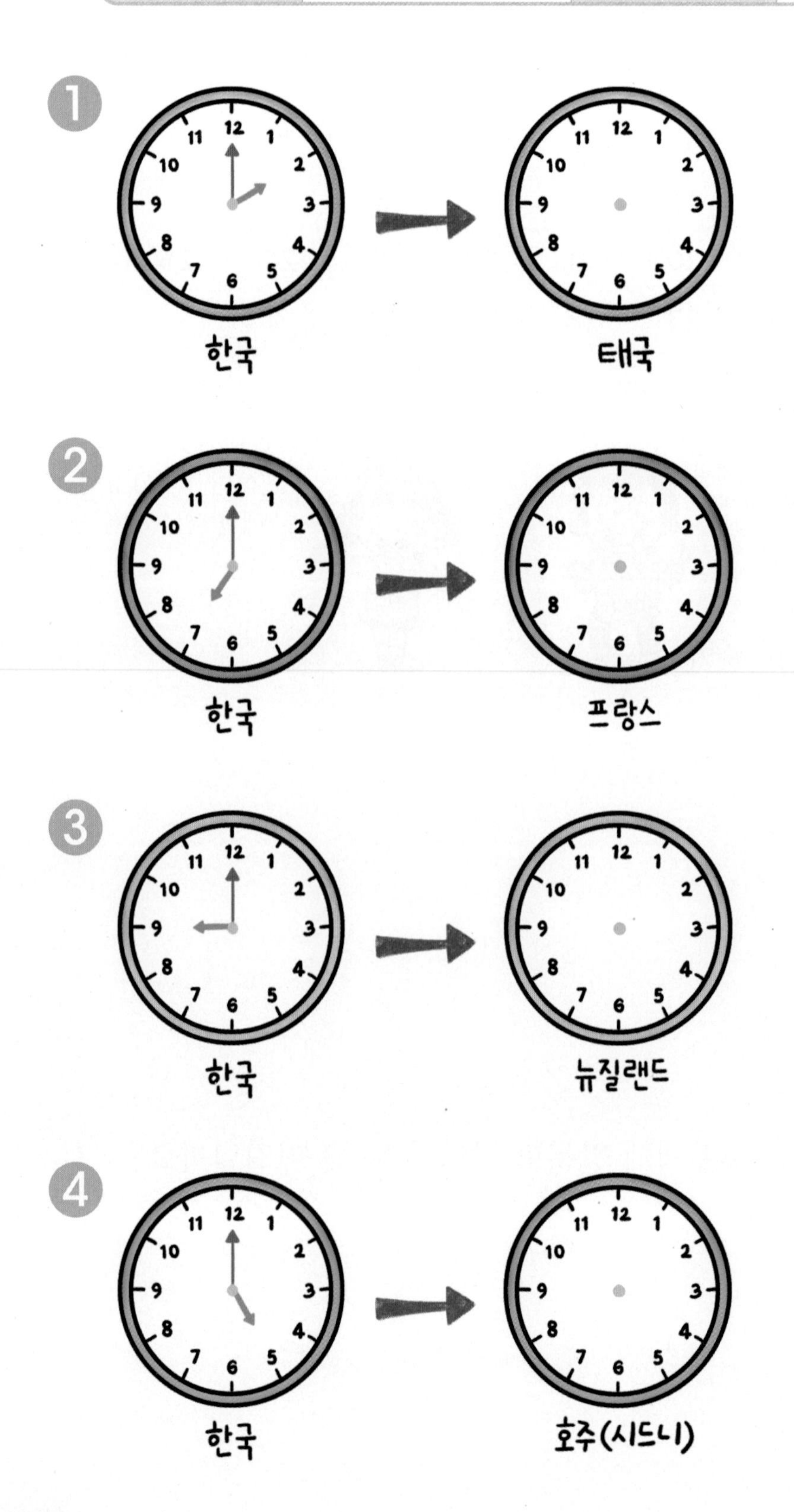

정답과 풀이 p.21

4 **어느 해 7월 달력의 일부입니다. 이달의 월요일의 날짜를 모두 더하면 얼마인지 구해 보세요.**

4 주
사고력

❶ 이달의 첫째 월요일은 며칠일까요?

( )

❷ 이달의 월요일의 날짜를 모두 써 보세요.

( )

❸ 이달의 월요일의 날짜를 모두 더하면 얼마일까요?

( )

2 단계 교과 사고력 확장

1 일정한 규칙에 따라 시계를 늘어놓은 것입니다. 마지막 시계에 시곗바늘을 알맞게 나타내어 보세요.

①

②

③

2

민주네 학교는 9시에 1교시 수업을 시작하여 40분 동안 수업을 하고 10분 동안 쉬고 다시 수업을 시작합니다. 4교시가 끝나고 점심 시간이라면 점심 시간은 몇 시 몇 분에 시작할까요?

1교시 : 40분
(쉬는 시간 : 10분)
2교시 : 40분
(쉬는 시간 : 10분)
3교시 : 40분
(쉬는 시간 : 10분)
4교시 : 40분

1. 2교시 수업 시작 시각은 몇 시 몇 분일까요?

( )

2. 3교시 수업 시작 시각은 몇 시 몇 분일까요?

( )

3. 4교시 수업 시작 시각은 몇 시 몇 분일까요?

( )

4. 점심 시간 시작 시각은 몇 시 몇 분일까요?

( )

3 **시계의 짧은바늘과 긴바늘의 좁은 쪽 사이가 가장 좁게 벌어진 시각의 기호를 써 보세요.**

㉠ 2시	㉡ 11시 10분
㉢ 1시 5분	㉣ 4시 30분

❶ 위 시각에 맞게 시곗바늘을 그려 넣으세요.

㉠

㉡

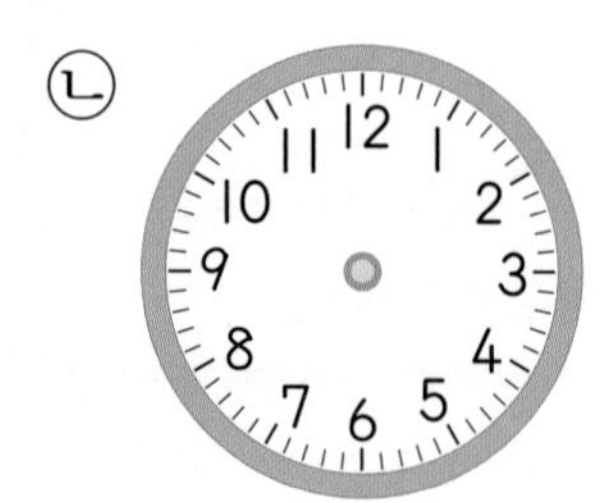

㉢

㉣

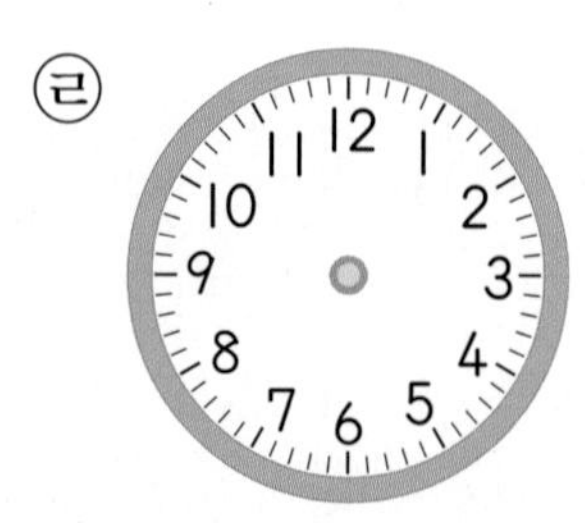

❷ 시계의 짧은바늘과 긴바늘의 좁은 쪽 사이가 가장 좁게 벌어진 시각의 기호를 써 보세요.

( )

정답과 풀이 p.22

4

동호는 어린이날 오전 10시에 캠핑장에 도착하였습니다. 5월 8일 오후 2시에 캠핑장을 떠나 집으로 돌아갔습니다. 동호가 캠핑장에 있었던 시간은 몇 시간일까요?

4주 사고력

① 어린이날은 몇 월 며칠일까요?

(　　　　　　　　)

② 하루는 몇 시간일까요?

(　　　　　　　　)

③ 동호가 캠핑장에 있었던 시간은 몇 시간일까요?

(　　　　　　　　)

3단계 교과 사고력 완성

평가 영역 □개념 이해력 ☑개념 응용력 □창의력 ☑문제 해결력

1 준호가 숙제를 끝낸 후 거울에 비친 시계를 보았더니 다음과 같았습니다. 숙제를 하는 동안 시계의 긴바늘이 한 바퀴 반을 돌았습니다. 준호가 숙제를 시작한 시각을 시계에 나타내어 보세요.

05:2

① 준호가 숙제를 끝낸 시각은 몇 시 몇 분일까요?

(　　　　　　　　)

② 긴바늘이 한 바퀴 반 돌면 몇 시간 몇 분이 지난 것일까요?

(　　　　　　　　)

③ 숙제를 시작한 시각은 몇 시 몇 분일까요?

(　　　　　　　　)

④ 준호가 숙제를 시작한 시각을 시계에 나타내어 보세요.

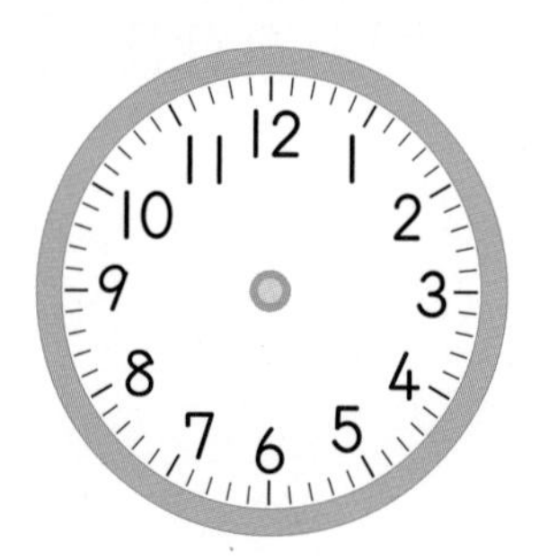

정답과 풀이 p.23

평가 영역 ☑개념 이해력 □개념 응용력 ☑창의력 □문제 해결력

2 동호는 승주보다 2주일 3일 늦게 태어났고, 재근이는 동호보다 1주일 5일 빨리 태어났습니다. 재근이의 생일은 언제일까요?

7월

일	월	화	수	목	금	토
		1	2	3	4	5
6	7	8	9 승주 생일	10	11	12
13	14	15	16	17	18	19
20	21	22	23	24	25	26
27	28	29	30	31		

① 승주의 생일은 몇 월 며칠일까요?

( )

② 동호의 생일은 몇 월 며칠일까요?

( )

③ 재근이의 생일은 몇 월 며칠일까요?

( )

4주 사고력

1 시계의 긴바늘이 가리키는 숫자와 그 숫자가 나타내는 분을 빈칸에 알맞게 써넣으세요.

숫자		2		5	7		
분	5		20			45	55

2 시각을 써 보세요.

(1)

□시 □분

(2)

□시 □분

3 두 가지 방법으로 시계의 시각을 읽어 보세요.

□시 □분

□시 □분 전

4 □ 안에 알맞은 수를 써넣으세요.

(1) 1시간 45분=□분

(2) 150분=□시간 □분

5 시각에 맞게 긴바늘을 그려 넣으세요.

(1) 5:35

(2) 7:10

6 승기는 영화관에 가서 영화를 보았습니다. 물음에 답하세요.

영화가 시작한 시각

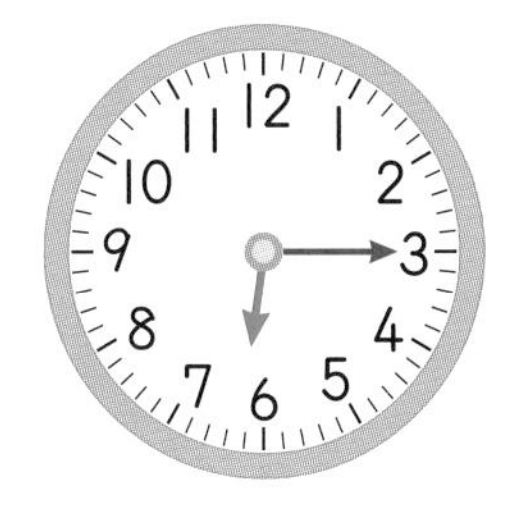

영화가 끝난 시각

(1) 영화가 시작한 시각과 끝난 시각은 각각 몇 시 몇 분일까요?

시작한 시각 (　　　　　　　　), 끝난 시각 (　　　　　　　　)

(2) 영화를 본 시간은 몇 시간 몇 분일까요?

(　　　　　　　　)

7 날수가 같은 달끼리 짝 지은 것에 ○표 하세요.

7월　8월	11월　12월
(　　)	(　　)

[8~11] 어느 해의 6월 달력을 보고 물음에 답하세요.

6월

일	월	화	수	목	금	토
		1	2	3	4	5
6	7	8	9	10	11	12
13	14	15	16	17	18	19
20	21	22	23	24	25	26
27	28	29	30			

8 6월 6일 현충일은 무슨 요일일까요?

( )

9 현충일부터 2주일 후는 며칠일까요?

( )

10 이달의 목요일의 날짜를 모두 써 보세요.

( )

11 이달의 첫째 화요일에서 2주일 3일 후는 무슨 요일일까요?

( )

12 다음 중 틀린 것을 찾아 기호를 써 보세요.

㉠ 28일=4주일　　㉡ 33일=4주일 5일
㉢ 20개월=1년 7개월　　㉣ 32개월=2년 8개월
㉤ 45개월=3년 9개월

(　　　　　　)

13 다음은 거울에 비친 시계의 모습입니다. 이 시계가 나타내는 시각은 몇 시 몇 분일까요?

(　　　　　　)

14 모형 시계의 짧은바늘을 한 바퀴 돌렸을 때 나타내는 시각을 써 보세요.

(1) 오전

(오전 , 오후)

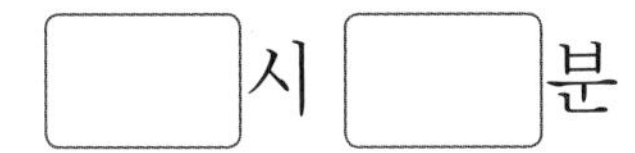

(2) 오후

(오전 , 오후)

□시 □분

15 대화를 읽고 더 일찍 일어난 사람은 누구인지 써 보세요.

나는 오늘 아침 7시 45분에 일어났어.
나는 오늘 아침 8시 10분 전에 일어났어.
준수
세형

(　　　　　　　　　)

16 명철이는 운동을 어제는 40분 동안 하였고, 오늘은 45분 동안 하였습니다. 명철이가 어제와 오늘 운동한 시간은 모두 몇 시간 몇 분일까요?

(　　　　　　　　　)

17 불가리아의 시각은 우리나라보다 6시간이 늦습니다. 우리나라 시각을 보고 불가리아의 시각을 시계에 표시해 보세요.

한국
불가리아

18 시계의 짧은바늘과 긴바늘의 좁은 쪽 사이가 가장 넓게 벌어진 시각의 기호를 써 보세요.

㉠ 10시 40분　　㉡ 7시 5분　　㉢ 2시 10분

(　　　　　　　　　)

특강 창의·융합 사고력

정답과 풀이 p.24

1 영주의 생활 계획표를 보고 자유롭게 문장을 완성해 보세요.

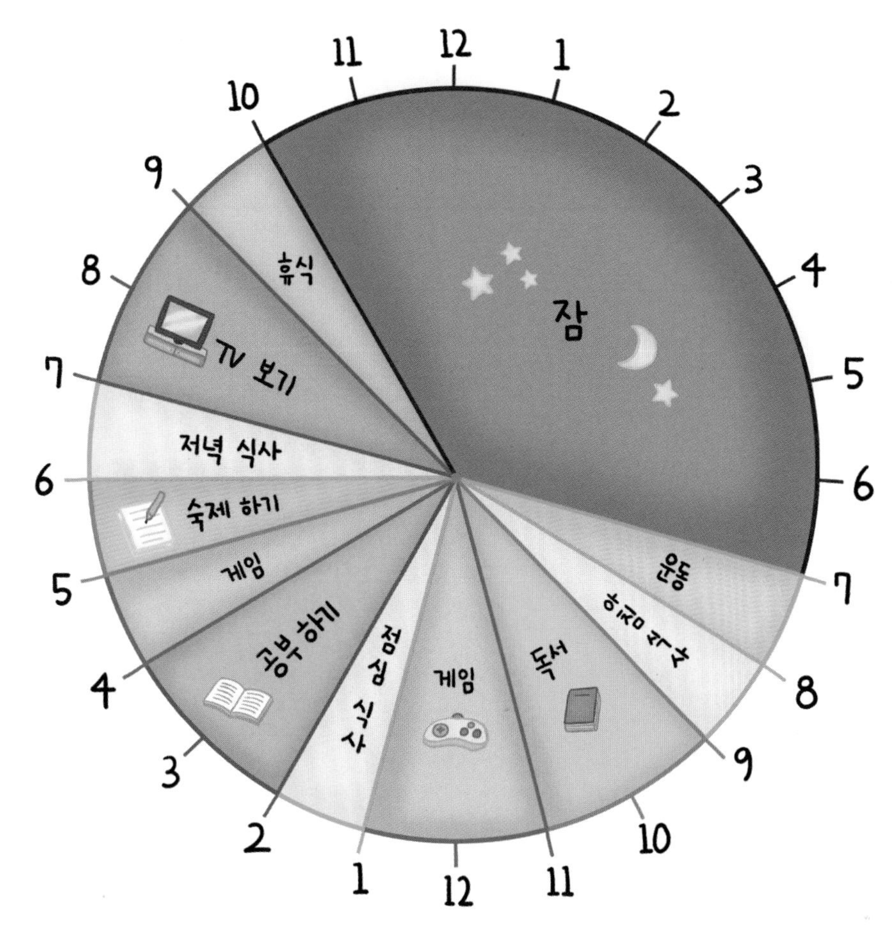

(1) (오전 , 오후) ☐시 ☐분에는 아침 식사를 하고 있습니다.

(2) (오전 , 오후) ☐시 ☐분에는 공부를 하고 있습니다.

(3) (오전 , 오후) ☐시 ☐분에는 게임을 하고 있습니다.

(4) (오전 , 오후) ☐시 ☐분에는 TV를 보고 있습니다.

Memo

16~17쪽

1 1 2 2 2 2 3 3 3

4 4 4 5 6 7 8 8 9 10 10

11 12 18 20 23 27 31 33 35 37 40

42 50 60 62 65 66 70 80 88 90 97

32~33쪽

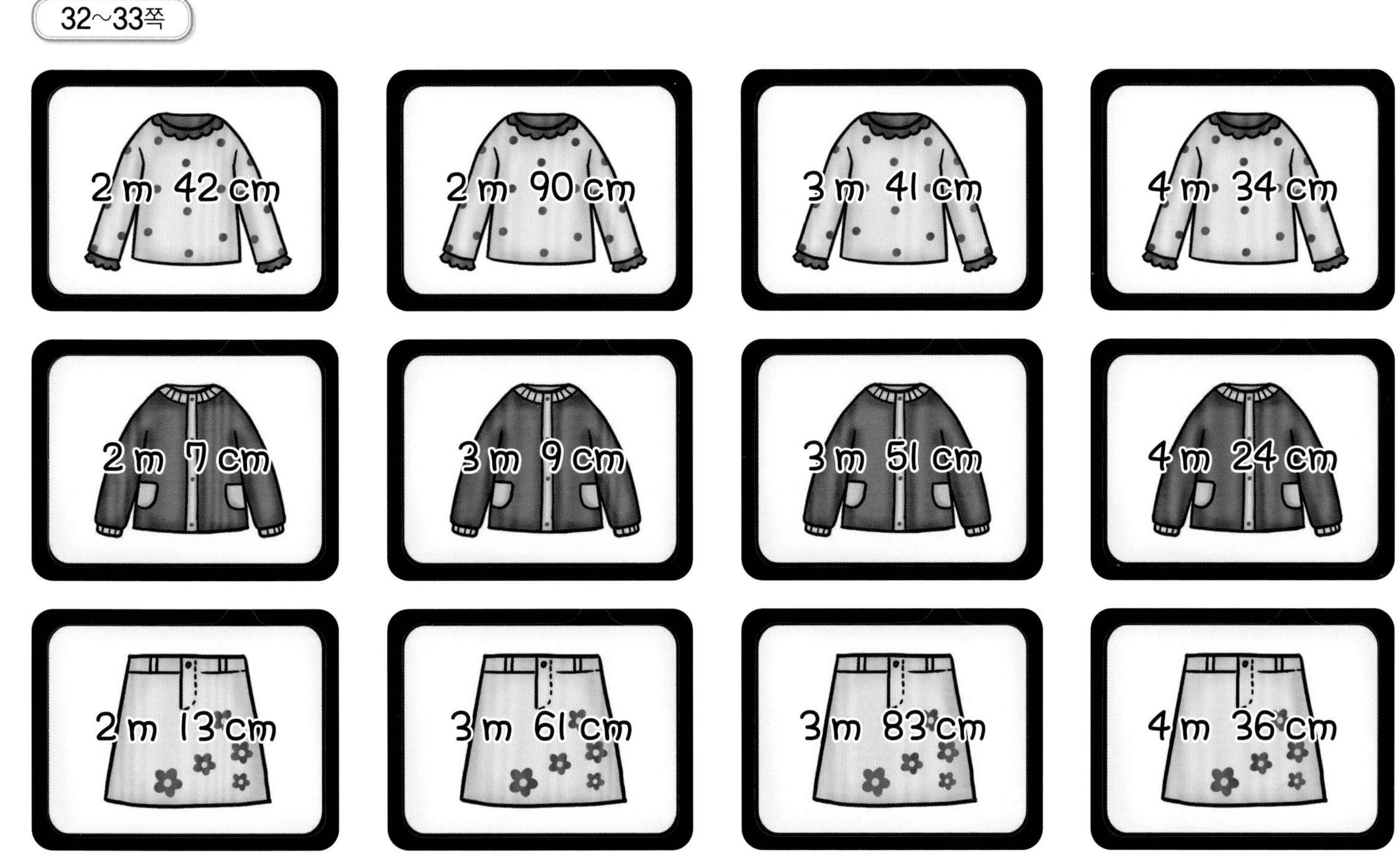

34~35쪽

자르는 선

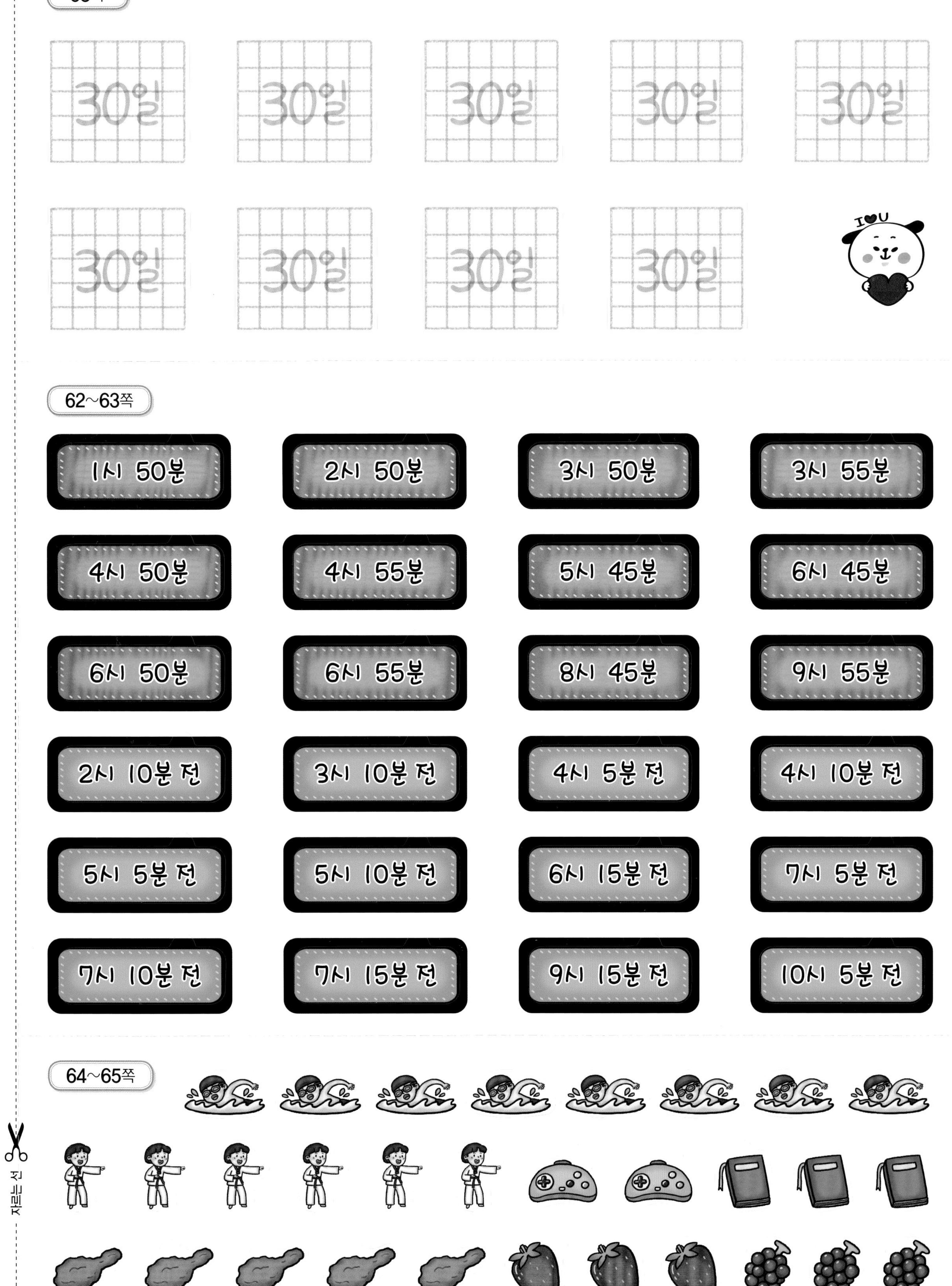
53쪽
30일
30일
30일
30일
30일
30일
30일
30일
30일
I ♥ U
62~63쪽
1시 50분
2시 50분
3시 50분
3시 55분
4시 50분
4시 55분
5시 45분
6시 45분
6시 50분
6시 55분
8시 45분
9시 55분
2시 10분 전
3시 10분 전
4시 5분 전
4시 10분 전
5시 5분 전
5시 10분 전
6시 15분 전
7시 5분 전
7시 10분 전
7시 15분 전
9시 15분 전
10시 5분 전
64~65쪽
자르는 선

80~81쪽

82~83쪽

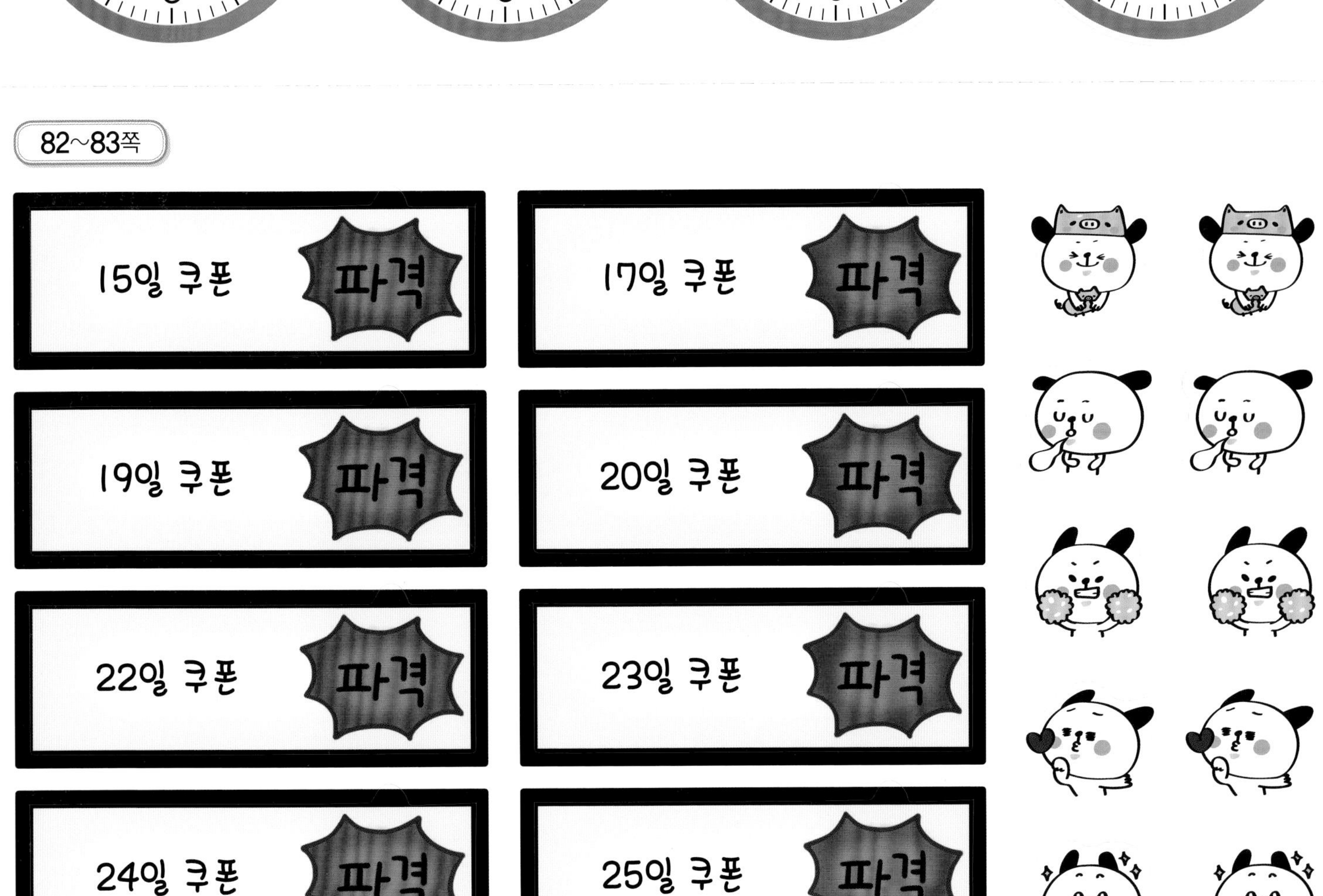
15일 쿠폰
파격
17일 쿠폰
파격
19일 쿠폰
파격
20일 쿠폰
파격
22일 쿠폰
파격
23일 쿠폰
파격
24일 쿠폰
파격
25일 쿠폰
파격

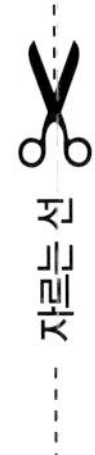
자르는 선

Go!
매쓰
GO!

사고력 중심

교과서 GO! 사고력 GO!

정답과 풀이

수학 2-2

열심히
풀었으니까,
한 번 맞춰 볼까?

4쪽 ~ 5쪽

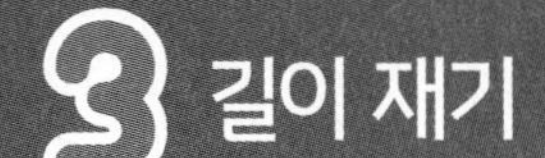

3 길이 재기

생활 속 길이 이야기

옛날에는 나라 사이에 교류가 거의 없었기 때문에 각자의 나라 안에서만 공통된 단위 길이를 사용하면 되었습니다. 이렇게 각 나라별로 단위 길이를 사용하다가 나라 사이의 교류가 활발해지자 전 세계적으로 공통된 단위 길이를 사용하게 되었습니다.
그것이 'm'입니다.

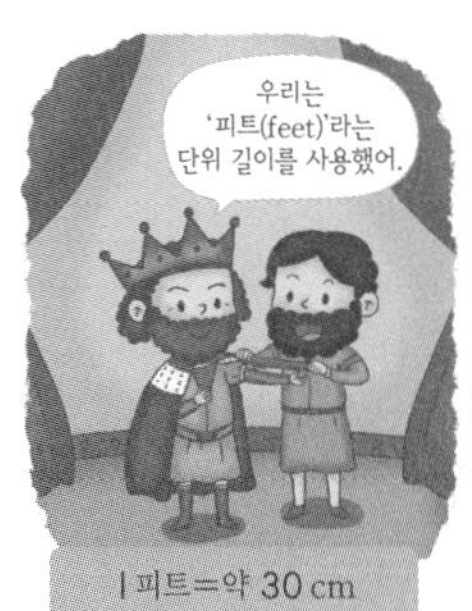

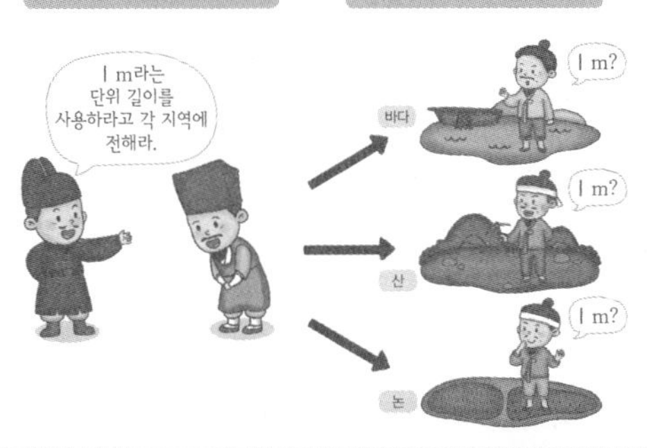

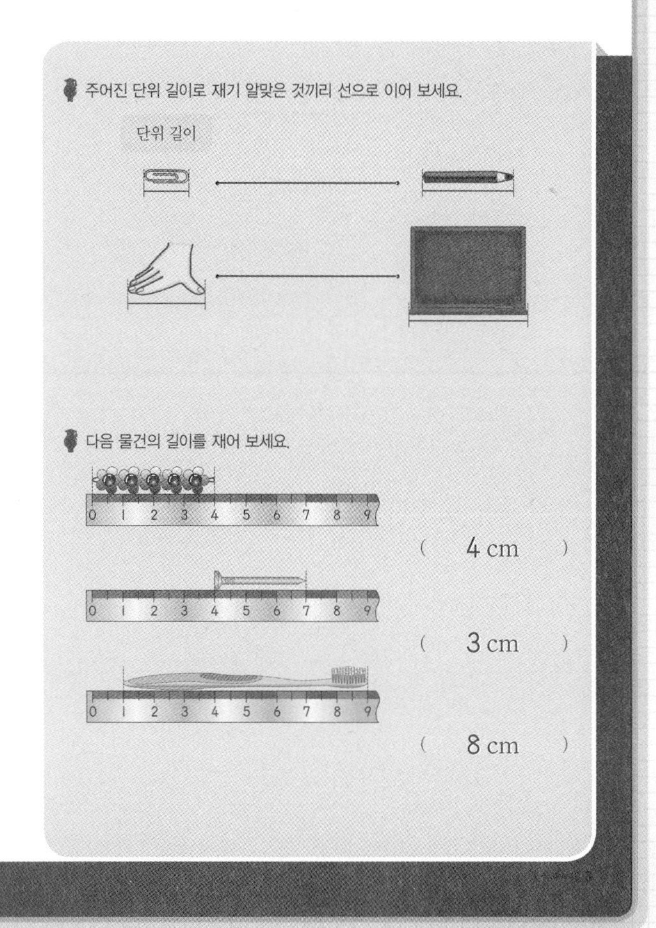

주어진 단위 길이로 재기 알맞은 것끼리 선으로 이어 보세요.

단위 길이

다음 물건의 길이를 재어 보세요.

(4 cm)

(3 cm)

(8 cm)

6쪽 ~ 7쪽

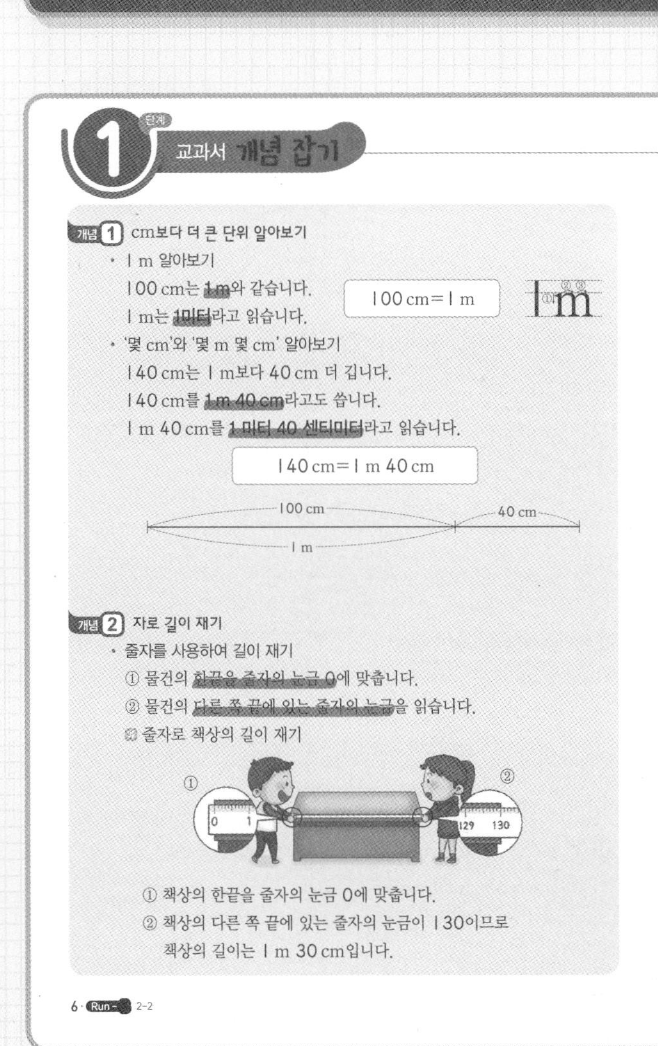

1단계 교과서 개념 잡기

개념 1 cm보다 더 큰 단위 알아보기

- 1 m 알아보기
  100 cm는 1 m와 같습니다.
  1 m는 1미터라고 읽습니다.

  100 cm=1 m

- '몇 cm'와 '몇 m 몇 cm' 알아보기
  140 cm는 1 m보다 40 cm 더 깁니다.
  140 cm를 1 m 40 cm라고도 씁니다.
  1 m 40 cm를 1 미터 40 센티미터라고 읽습니다.

  140 cm=1 m 40 cm

  100 cm / 40 cm / 1 m

개념 2 자로 길이 재기

- 줄자를 사용하여 길이 재기
  ① 물건의 한끝을 줄자의 눈금 0에 맞춥니다.
  ② 물건의 다른 쪽 끝에 있는 줄자의 눈금을 읽습니다.

  예 줄자로 책상의 길이 재기

  ① 책상의 한끝을 줄자의 눈금 0에 맞춥니다.
  ② 책상의 다른 쪽 끝에 있는 줄자의 눈금이 130이므로 책상의 길이는 1 m 30 cm입니다.

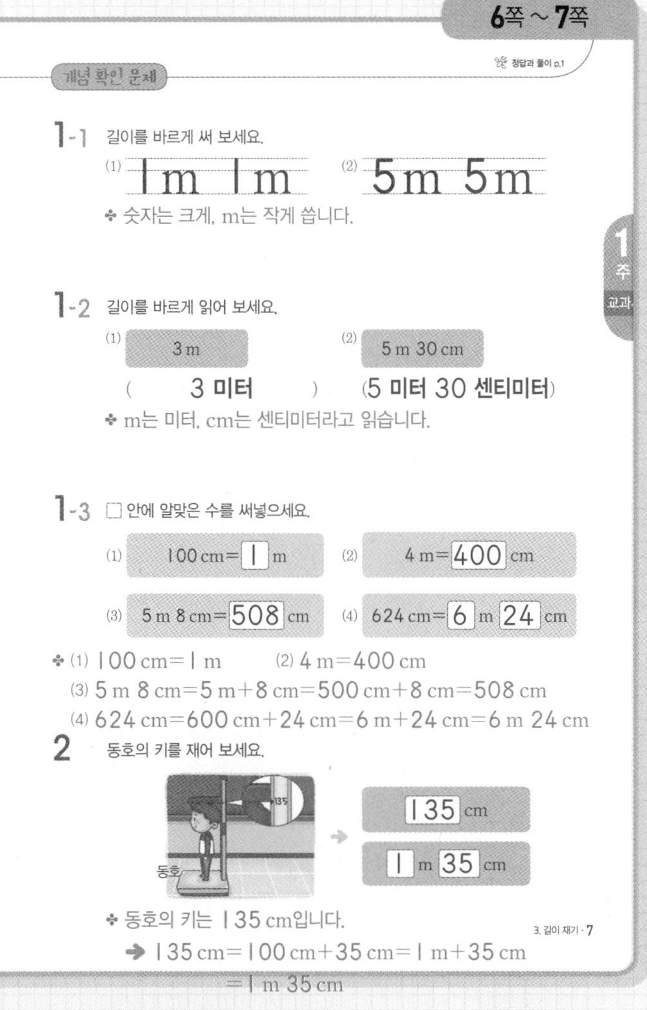

개념 확인 문제

1-1 길이를 바르게 써 보세요.

(1) 1 m 1 m　(2) 5 m 5 m

✤ 숫자는 크게, m는 작게 씁니다.

1-2 길이를 바르게 읽어 보세요.

(1) 3 m　(3 미터)
(2) 5 m 30 cm　(5 미터 30 센티미터)

✤ m는 미터, cm는 센티미터라고 읽습니다.

1-3 □ 안에 알맞은 수를 써넣으세요.

(1) 100 cm=1 m　(2) 4 m=400 cm
(3) 5 m 8 cm=508 cm　(4) 624 cm=6 m 24 cm

✤ (1) 100 cm=1 m　(2) 4 m=400 cm
(3) 5 m 8 cm=5 m+8 cm=500 cm+8 cm=508 cm
(4) 624 cm=600 cm+24 cm=6 m+24 cm=6 m 24 cm

2 동호의 키를 재어 보세요.

135 cm
1 m 35 cm

✤ 동호의 키는 135 cm입니다.
➜ 135 cm=100 cm+35 cm=1 m+35 cm
=1 m 35 cm

8쪽 ~ 9쪽

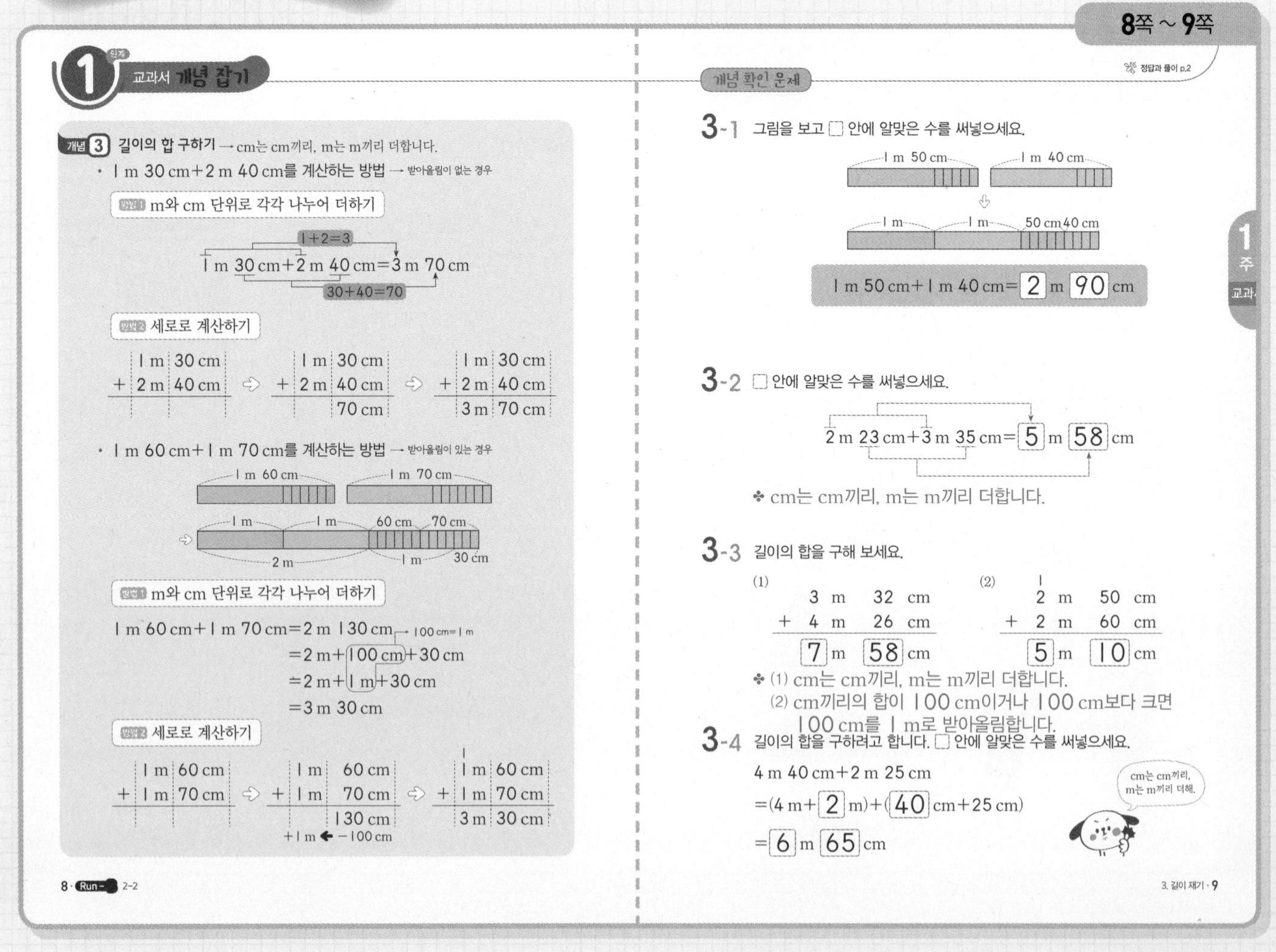

1단계 교과서 개념 잡기

개념 3 길이의 합 구하기 → cm는 cm끼리, m는 m끼리 더합니다.

- 1 m 30 cm+2 m 40 cm를 계산하는 방법 → 받아올림이 없는 경우

방법 1 m와 cm 단위로 각각 나누어 더하기

1+2=3

1 m 30 cm+2 m 40 cm=3 m 70 cm

30+40=70

방법 2 세로로 계산하기

	1 m	30 cm
+	2 m	40 cm
	3 m	70 cm

- 1 m 60 cm+1 m 70 cm를 계산하는 방법 → 받아올림이 있는 경우

방법 1 m와 cm 단위로 각각 나누어 더하기

1 m 60 cm+1 m 70 cm=2 m 130 cm → 100 cm=1 m
=2 m+100 cm+30 cm
=2 m+1 m+30 cm
=3 m 30 cm

방법 2 세로로 계산하기

	1	
	1 m	60 cm
+	1 m	70 cm
	3 m	30 cm

+1 m ← −100 cm

개념 확인 문제

정답과 풀이 p.2

3-1 그림을 보고 □ 안에 알맞은 수를 써넣으세요.

1 m 50 cm+1 m 40 cm=2 m 90 cm

3-2 □ 안에 알맞은 수를 써넣으세요.

2 m 23 cm+3 m 35 cm=5 m 58 cm

✤ cm는 cm끼리, m는 m끼리 더합니다.

3-3 길이의 합을 구해 보세요.

(1) 3 m 32 cm + 4 m 26 cm = 7 m 58 cm

(2) 2 m 50 cm + 2 m 60 cm = 5 m 10 cm

✤ (1) cm는 cm끼리, m는 m끼리 더합니다.
(2) cm끼리의 합이 100 cm이거나 100 cm보다 크면 100 cm를 1 m로 받아올림합니다.

3-4 길이의 합을 구하려고 합니다. □ 안에 알맞은 수를 써넣으세요.

4 m 40 cm+2 m 25 cm
=(4 m+2 m)+(40 cm+25 cm)
=6 m 65 cm

cm는 cm끼리, m는 m끼리 더해.

10쪽 ~ 11쪽

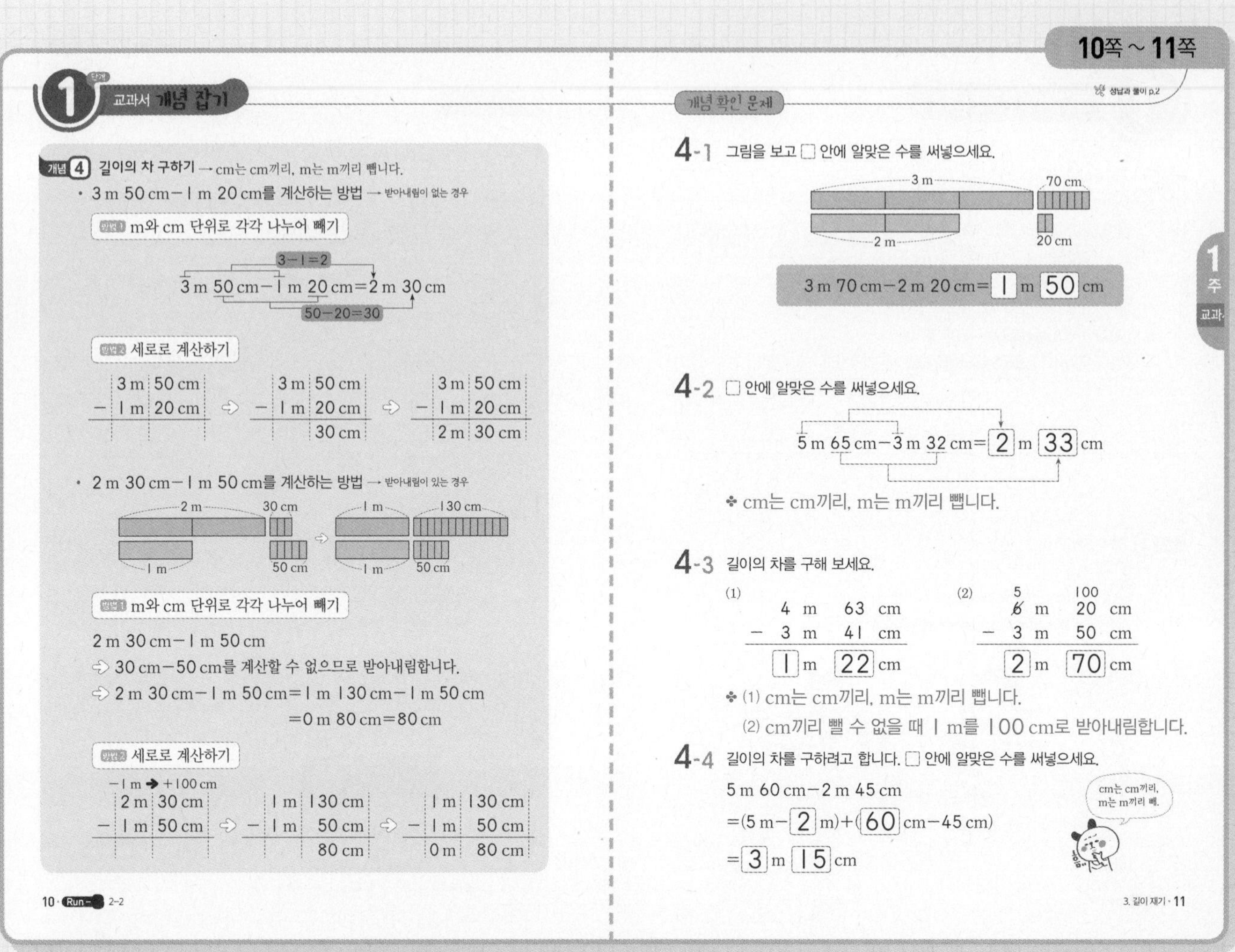

1단계 교과서 개념 잡기

개념 4 길이의 차 구하기 → cm는 cm끼리, m는 m끼리 뺍니다.

- 3 m 50 cm−1 m 20 cm를 계산하는 방법 → 받아내림이 없는 경우

방법 1 m와 cm 단위로 각각 나누어 빼기

3−1=2

3 m 50 cm−1 m 20 cm=2 m 30 cm

50−20=30

방법 2 세로로 계산하기

	3 m	50 cm
−	1 m	20 cm
	2 m	30 cm

- 2 m 30 cm−1 m 50 cm를 계산하는 방법 → 받아내림이 있는 경우

방법 1 m와 cm 단위로 각각 나누어 빼기

2 m 30 cm−1 m 50 cm
⇨ 30 cm−50 cm를 계산할 수 없으므로 받아내림합니다.
⇨ 2 m 30 cm−1 m 50 cm=1 m 130 cm−1 m 50 cm
=0 m 80 cm=80 cm

방법 2 세로로 계산하기

−1 m → +100 cm

	1 m	130 cm
−	1 m	50 cm
	0 m	80 cm

개념 확인 문제

정답과 풀이 p.2

4-1 그림을 보고 □ 안에 알맞은 수를 써넣으세요.

3 m 70 cm−2 m 20 cm=1 m 50 cm

4-2 □ 안에 알맞은 수를 써넣으세요.

5 m 65 cm−3 m 32 cm=2 m 33 cm

✤ cm는 cm끼리, m는 m끼리 뺍니다.

4-3 길이의 차를 구해 보세요.

(1) 4 m 63 cm − 3 m 41 cm = 1 m 22 cm

(2) 6 m 20 cm − 3 m 50 cm = 2 m 70 cm

✤ (1) cm는 cm끼리, m는 m끼리 뺍니다.
(2) cm끼리 뺄 수 없을 때 1 m를 100 cm로 받아내림합니다.

4-4 길이의 차를 구하려고 합니다. □ 안에 알맞은 수를 써넣으세요.

5 m 60 cm−2 m 45 cm
=(5 m−2 m)+(60 cm−45 cm)
=3 m 15 cm

cm는 cm끼리, m는 m끼리 빼.

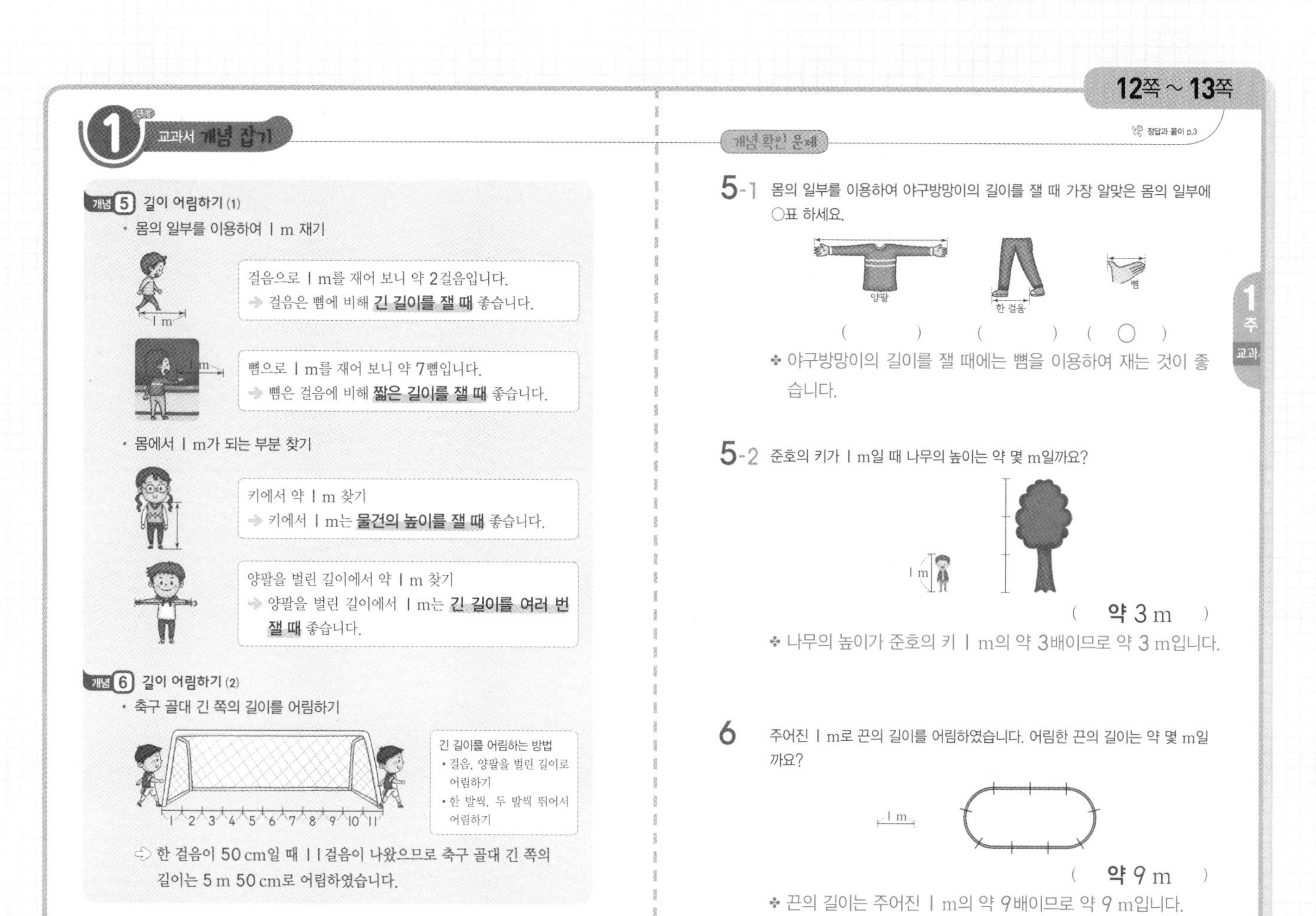

12쪽 ~ 13쪽

정답과 풀이 p.3

1단계 교과서 개념 잡기

개념 5 길이 어림하기 (1)

• 몸의 일부를 이용하여 1 m 재기

걸음으로 1 m를 재어 보니 약 2걸음입니다.
➡ 걸음은 뼘에 비해 **긴 길이를 잴 때** 좋습니다.

뼘으로 1 m를 재어 보니 약 7뼘입니다.
➡ 뼘은 걸음에 비해 **짧은 길이를 잴 때** 좋습니다.

• 몸에서 1 m가 되는 부분 찾기

키에서 약 1 m 찾기
➡ 키에서 1 m는 **물건의 높이를 잴 때** 좋습니다.

양팔을 벌린 길이에서 약 1 m 찾기
➡ 양팔을 벌린 길이에서 1 m는 **긴 길이를 여러 번 잴 때** 좋습니다.

개념 6 길이 어림하기 (2)

• 축구 골대 긴 쪽의 길이를 어림하기

긴 길이를 어림하는 방법
• 걸음, 양팔을 벌린 길이로 어림하기
• 한 발씩, 두 발씩 뛰어서 어림하기

➩ 한 걸음이 50 cm일 때 11걸음이 나왔으므로 축구 골대 긴 쪽의 길이는 5 m 50 cm로 어림하였습니다.

12 · Run-수학 2-2

개념 확인 문제

5-1 몸의 일부를 이용하여 야구방망이의 길이를 잴 때 가장 알맞은 몸의 일부에 ○표 하세요.

양팔 ( ) 한 걸음 ( ) 뼘 (○)

❖ 야구방망이의 길이를 잴 때에는 뼘을 이용하여 재는 것이 좋습니다.

5-2 준호의 키가 1 m일 때 나무의 높이는 약 몇 m일까요?

(약 3 m)

❖ 나무의 높이가 준호의 키 1 m의 약 3배이므로 약 3 m입니다.

6 주어진 1 m로 끈의 길이를 어림하였습니다. 어림한 끈의 길이는 약 몇 m일까요?

(약 9 m)

❖ 끈의 길이는 주어진 1 m의 약 9배이므로 약 9 m입니다.

3. 길이 재기 · 13

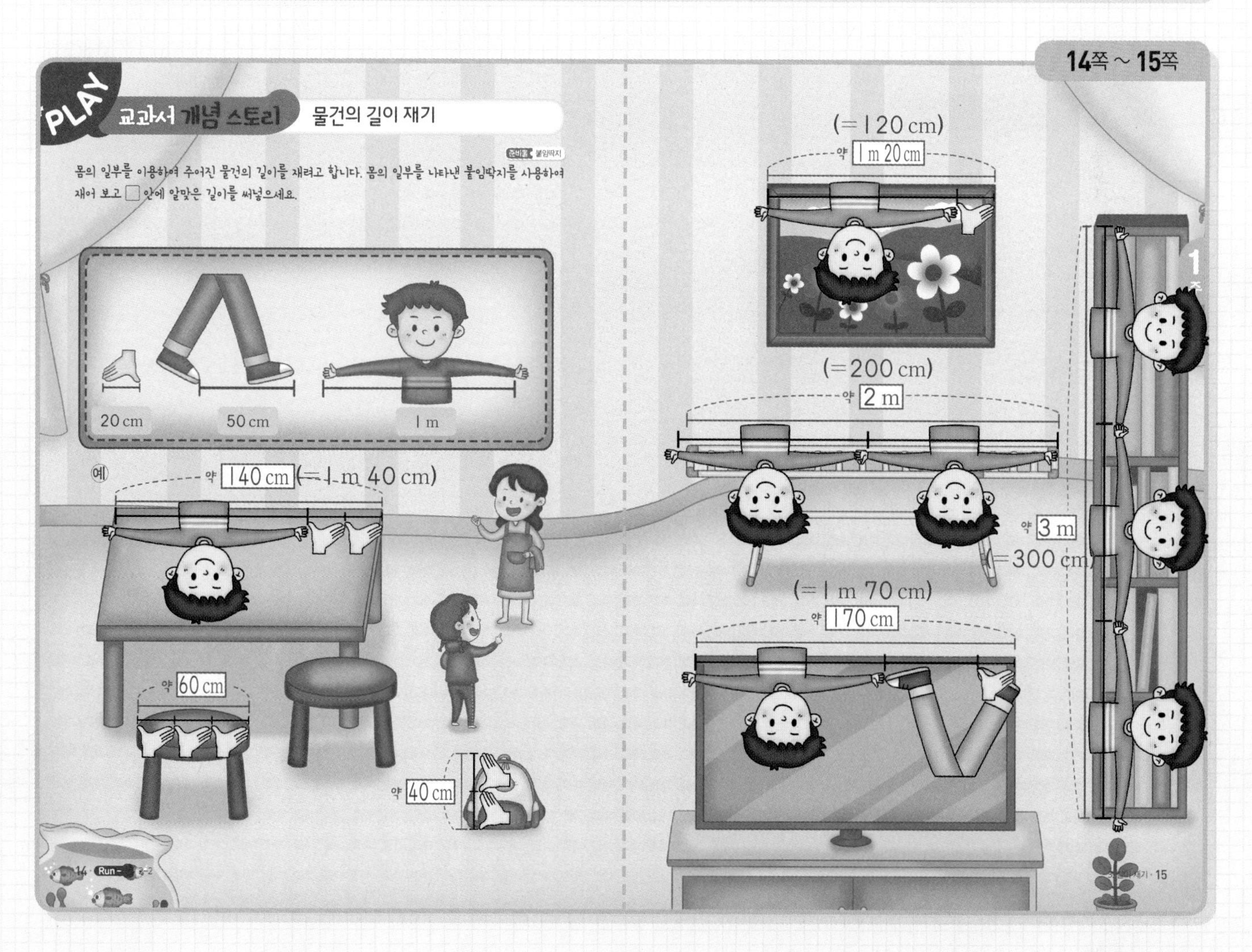

14쪽 ~ 15쪽

PLAY 교과서 개념 스토리 물건의 길이 재기

준비물 붙임딱지

몸의 일부를 이용하여 주어진 물건의 길이를 재려고 합니다. 몸의 일부를 나타낸 붙임딱지를 사용하여 재어 보고 □ 안에 알맞은 길이를 써넣으세요.

14 · Run-수학 2-2

3. 길이 재기 · 15

16쪽 ~ 17쪽

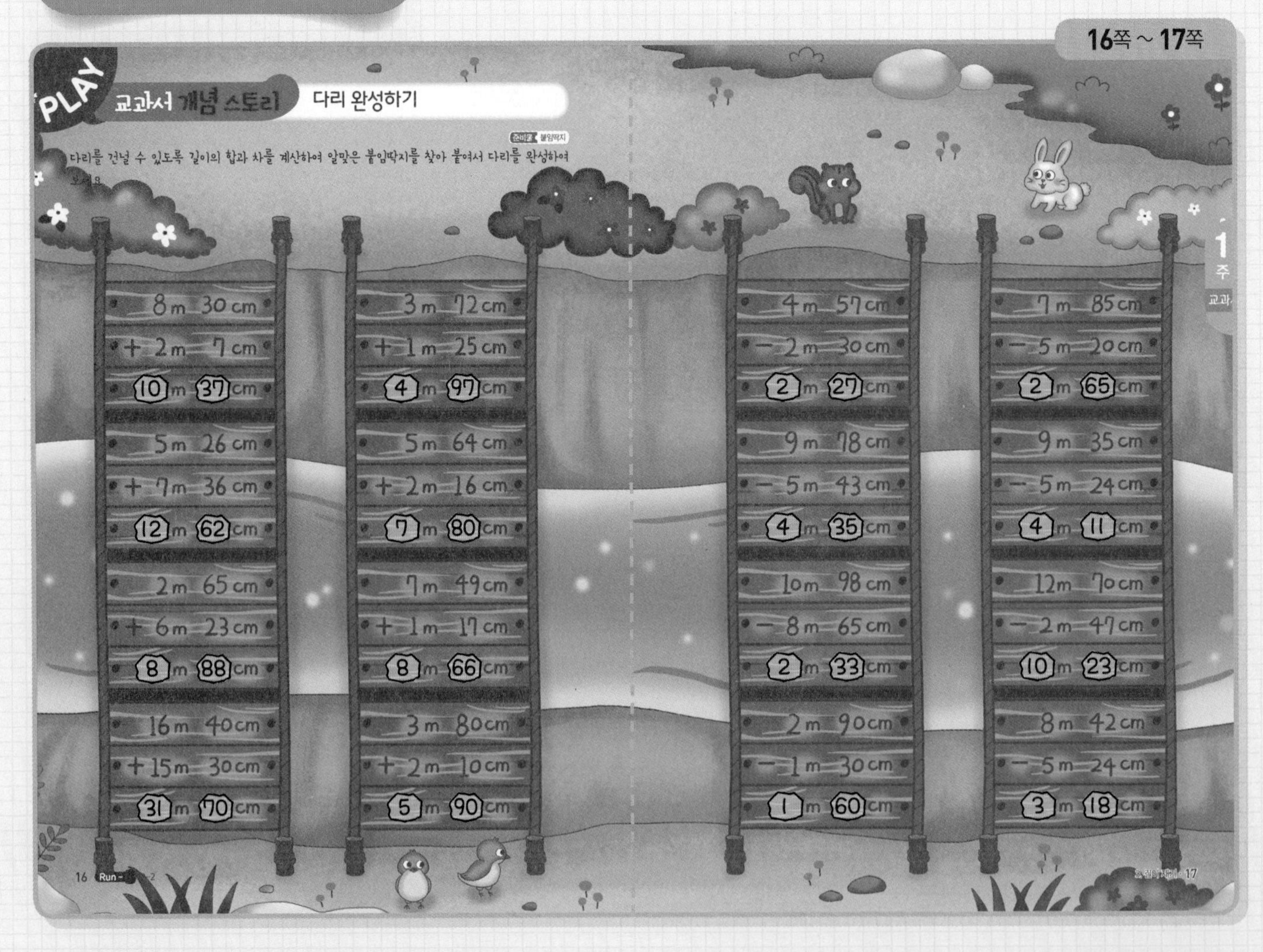

PLAY 교과서 개념 스토리
다리 완성하기
다리를 건널 수 있도록 길이의 합과 차를 계산하여 알맞은 붙임딱지를 찾아 붙여서 다리를 완성하여 보세요.
8 m 30 cm
+ 2 m 7 cm
10 m 37 cm
5 m 26 cm
+ 7 m 36 cm
12 m 62 cm
2 m 65 cm
+ 6 m 23 cm
8 m 88 cm
16 m 40 cm
+ 15 m 30 cm
31 m 70 cm
3 m 72 cm
+ 1 m 25 cm
4 m 97 cm
5 m 64 cm
+ 2 m 16 cm
7 m 80 cm
7 m 49 cm
+ 1 m 17 cm
8 m 66 cm
3 m 80 cm
+ 2 m 10 cm
5 m 90 cm
4 m 57 cm
− 2 m 30 cm
2 m 27 cm
9 m 78 cm
− 5 m 43 cm
4 m 35 cm
10 m 98 cm
− 8 m 65 cm
2 m 33 cm
2 m 90 cm
− 1 m 30 cm
1 m 60 cm
7 m 85 cm
− 5 m 20 cm
2 m 65 cm
9 m 35 cm
− 5 m 24 cm
4 m 11 cm
12 m 70 cm
− 2 m 47 cm
10 m 23 cm
8 m 42 cm
− 5 m 24 cm
3 m 18 cm

18쪽 ~ 19쪽

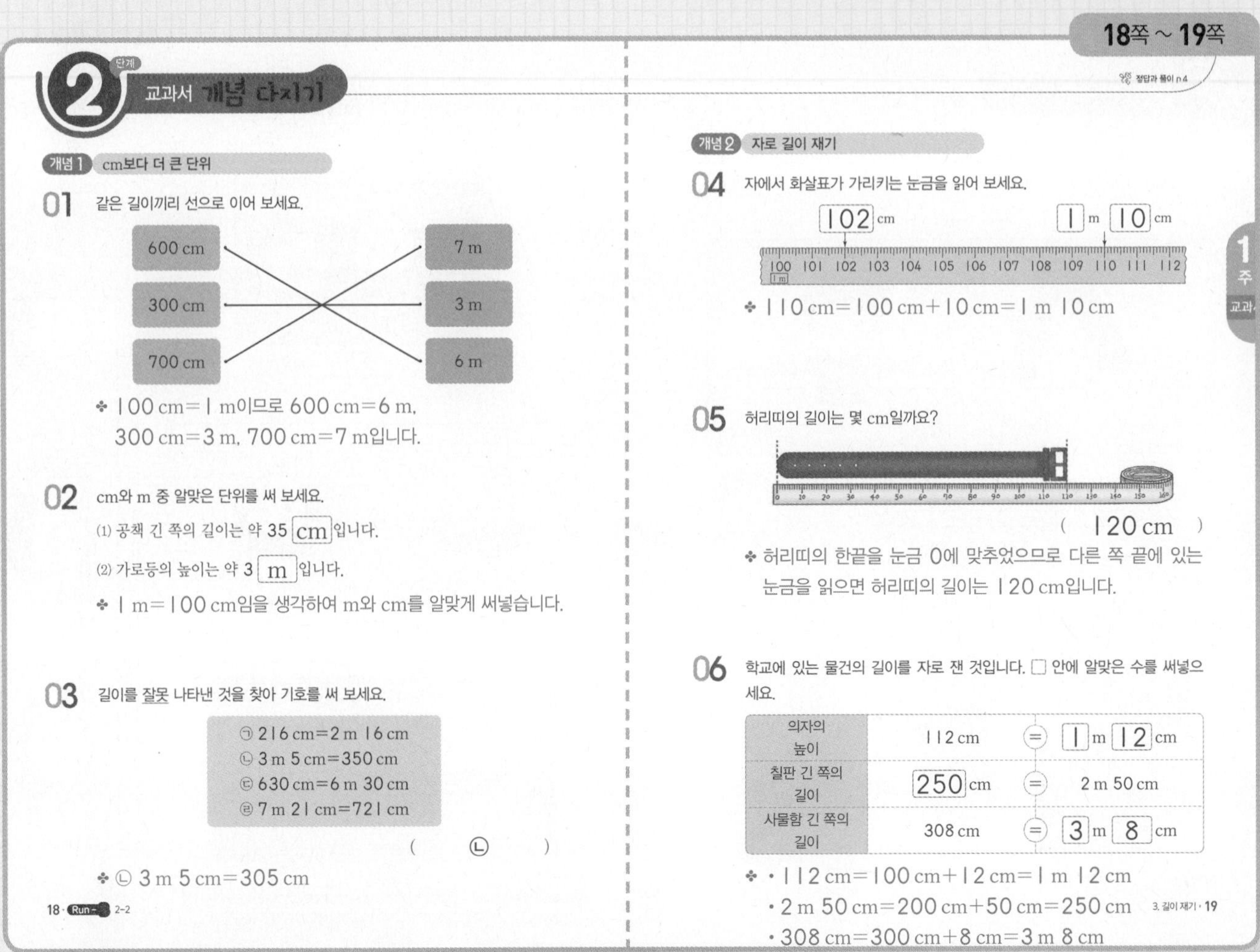

2단계 교과서 개념 다지기

정답과 풀이 p.4

개념 1 cm보다 더 큰 단위

01 같은 길이끼리 선으로 이어 보세요.

600 cm — 6 m
300 cm — 3 m
700 cm — 7 m

✤ 100 cm=1 m이므로 600 cm=6 m, 300 cm=3 m, 700 cm=7 m입니다.

02 cm와 m 중 알맞은 단위를 써 보세요.

(1) 공책 긴 쪽의 길이는 약 35 [cm]입니다.

(2) 가로등의 높이는 약 3 [m]입니다.

✤ 1 m=100 cm임을 생각하여 m와 cm를 알맞게 써넣습니다.

03 길이를 잘못 나타낸 것을 찾아 기호를 써 보세요.

㉠ 216 cm=2 m 16 cm
㉡ 3 m 5 cm=350 cm
㉢ 630 cm=6 m 30 cm
㉣ 7 m 21 cm=721 cm

(㉡)

✤ ㉡ 3 m 5 cm=305 cm

개념 2 자로 길이 재기

04 자에서 화살표가 가리키는 눈금을 읽어 보세요.

[102] cm [1] m [10] cm

✤ 110 cm=100 cm+10 cm=1 m 10 cm

05 허리띠의 길이는 몇 cm일까요?

(120 cm)

✤ 허리띠의 한끝을 눈금 0에 맞추었으므로 다른 쪽 끝에 있는 눈금을 읽으면 허리띠의 길이는 120 cm입니다.

06 학교에 있는 물건의 길이를 자로 잰 것입니다. □ 안에 알맞은 수를 써넣으세요.

의자의 높이	112 cm	=	[1] m [12] cm
칠판 긴 쪽의 길이	[250] cm	=	2 m 50 cm
사물함 긴 쪽의 길이	308 cm	=	[3] m [8] cm

✤ • 112 cm=100 cm+12 cm=1 m 12 cm
• 2 m 50 cm=200 cm+50 cm=250 cm
• 308 cm=300 cm+8 cm=3 m 8 cm

정답과 풀이 p.5

개념 3 길이의 합 구하기

07 □ 안에 알맞은 수를 써넣으세요.

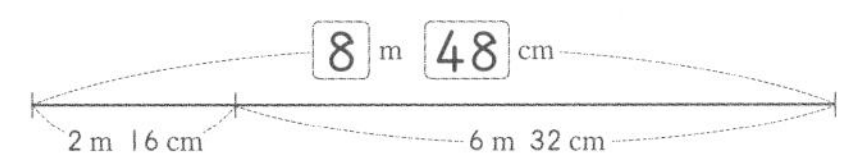

❖ 2 m 16 cm+6 m 32 cm=(2 m+6 m)+(16 cm+32 cm)
=8 m 48 cm

08 □ 안에 알맞은 수를 써넣으세요.

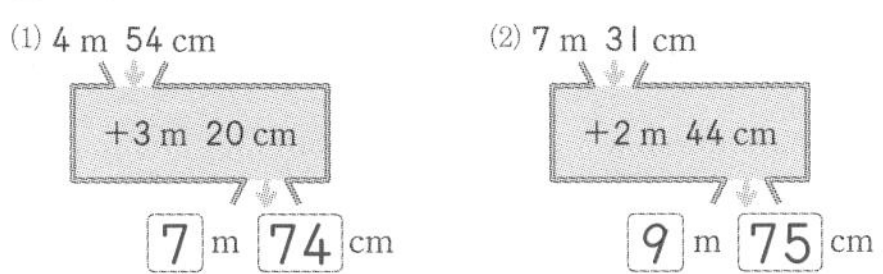

❖ (1) 4 m 54 cm+3 m 20 cm=(4 m+3 m)+(54 cm+20 cm)
=7 m 74 cm
(2) 7 m 31 cm+2 m 44 cm=(7 m+2 m)+(31 cm+44 cm)
=9 m 75 cm

09 영주는 한 바퀴의 길이가 30 m 24 cm인 연못을 2바퀴 돌았습니다. 영주가 돈 거리는 몇 m 몇 cm일까요?

(60 m 48 cm)

❖ (영주가 돈 거리)=30 m 24 cm+30 m 24 cm
=(30 m+30 m)+(24 cm+24 cm)
=60 m 48 cm

개념 4 길이의 차 구하기

10 □ 안에 알맞은 수를 써넣으세요.

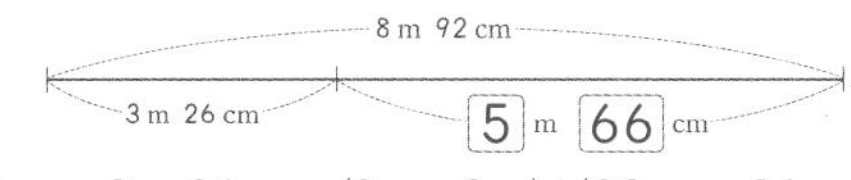

❖ 8 m 92 cm−3 m 26 cm=(8 m−3 m)+(92 cm−26 cm)
=5 m 66 cm

11 두 길이의 차는 몇 m 몇 cm일까요?

6 m 70 cm　　2 m 25 cm

(4 m 45 cm)

❖ 긴 길이에서 짧은 길이를 뺍니다.
➔ 6 m 70 cm−2 m 25 cm=(6 m−2 m)+(70 cm−25 cm)
=4 m 45 cm

12 길이가 2 m 13 cm인 고무줄이 있습니다. 이 고무줄을 양쪽으로 잡아당겼더니 4 m 20 cm가 되었습니다. 처음보다 고무줄이 몇 m 몇 cm 늘어났는지 구해 보세요.

식 4 m 20 cm−2 m 13 cm=2 m 7 cm
답 2 m 7 cm

❖ (늘어난 고무줄의 길이)=4 m 20 cm−2 m 13 cm
=(4 m−2 m)+(20 cm−13 cm)
=2 m 7 cm

2 단계 교과서 개념 다지기

정답과 풀이 p.5

개념 5 길이 어림하기 (1) – 몸의 일부 이용

13 칠판 긴 쪽의 길이는 약 몇 m일까요?

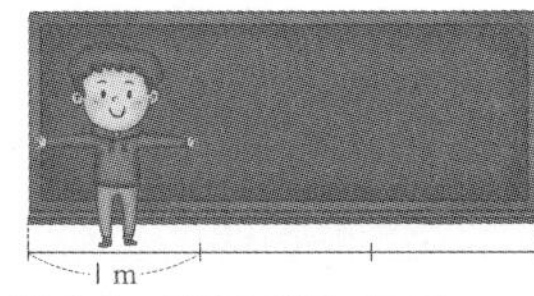

(약 3 m)

❖ 칠판 긴 쪽의 길이는 양팔을 벌린 거리의 약 3배입니다.
양팔을 벌린 길이가 1 m이므로 칠판 긴 쪽의 길이는 약 3 m입니다.

14 버스의 길이를 몸의 일부를 이용하여 재려고 합니다. 다음 방법 중 가장 알맞은 것을 찾아 기호를 써 보세요.

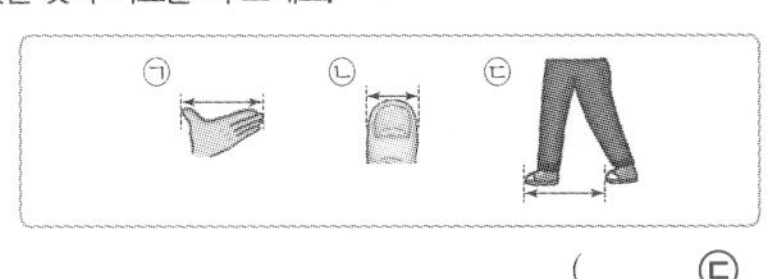

(㉢)

❖ 버스의 길이와 같이 길이가 긴 것을 잴 때에는 걸음의 길이를 이용하여 재는 것이 좋습니다.

15 축구 골대 긴 쪽의 길이를 민호의 걸음으로 재었더니 약 10걸음입니다. 축구 골대 긴 쪽의 길이는 약 몇 m일까요?

(약 5 m)

❖ 민호의 한 걸음이 50 cm이므로 10걸음은 약 500 cm입니다.
따라서 축구 골대 긴 쪽의 길이는 약 500 cm=5 m입니다.

개념 6 길이 어림하기 (2) – 기준이 되는 길이

16 길이가 1 m인 막대로 트럭의 길이를 어림하였습니다. 어림한 트럭의 길이는 약 몇 m일까요?

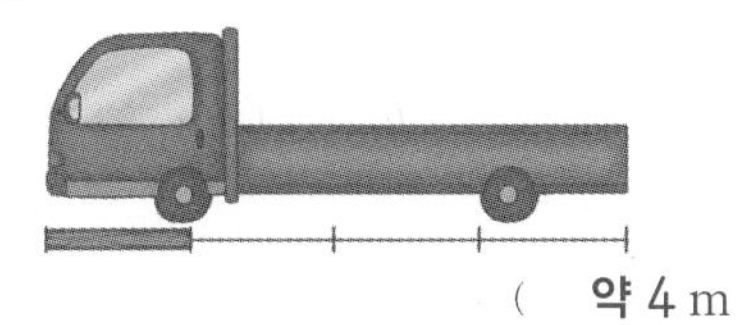

(약 4 m)

❖ 트럭의 길이는 1 m의 약 4배이므로 약 4 m입니다.

17 주어진 1 m로 리본의 길이를 어림하였습니다. 어림한 리본의 길이는 약 몇 m일까요?

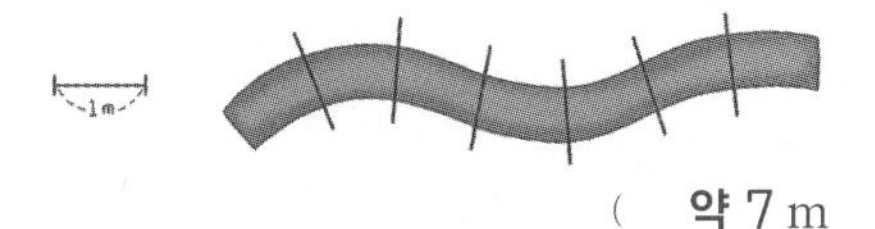

(약 7 m)

❖ 리본의 길이는 1 m로 7번 정도이므로 약 7 m입니다.

18 실제 길이에 가까운 것을 찾아 선으로 이어 보세요.

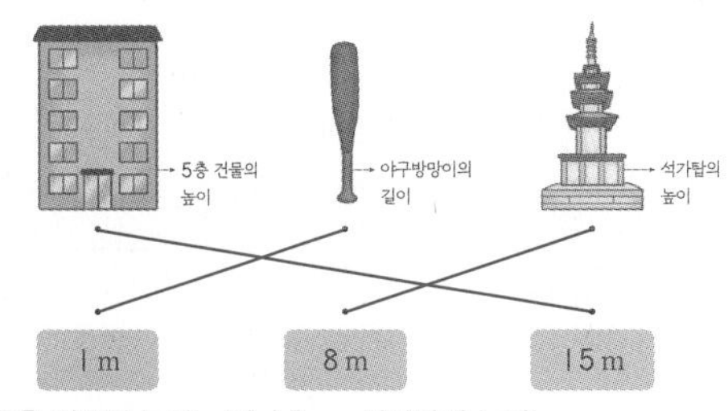

❖ 5층 건물의 높이는 약 15 m, 석가탑의 높이는 약 8 m, 야구방망이의 길이는 약 1 m입니다.

24쪽 ~ 25쪽

정답과 풀이 p.6

3단계 교과서 실력 다지기

★ 알맞은 단위 알아보기

1 □ 안에 cm와 m 중 알맞은 단위를 써넣으세요.

(1) 초등학교 2학년인 수근이의 키는 약 110 cm입니다.

(2) 자동차의 길이는 약 4 m입니다.

개념 피드백 • 알맞은 길이의 단위
길이가 긴 것은 m, 길이가 짧은 것은 cm를 단위로 사용합니다.

✤ (1) 초등학교 2학년의 학생 키에 알맞은 단위를 찾으면 약 110 cm입니다.
(2) 자동차의 길이에 알맞은 단위를 찾으면 약 4 m입니다.

1-1 길이가 1 m보다 긴 것을 모두 찾아 기호를 써 보세요.

㉠ 어머니의 키　㉡ 준호의 발 길이
㉢ 가로등의 높이　㉣ 공책 긴 쪽의 길이

(㉠, ㉢)

✤ 1 m보다 긴 것은 ㉠, ㉢입니다.

1-2 길이가 4 m보다 짧은 것을 모두 찾아 기호를 써 보세요.

㉠ 아버지의 키　㉡ 3층 건물의 높이
㉢ 비행기의 길이　㉣ 의자의 높이

(㉠, ㉣)

✤ 4 m보다 짧은 것은 ㉠, ㉣입니다.

★ m와 cm의 관계 알아보기

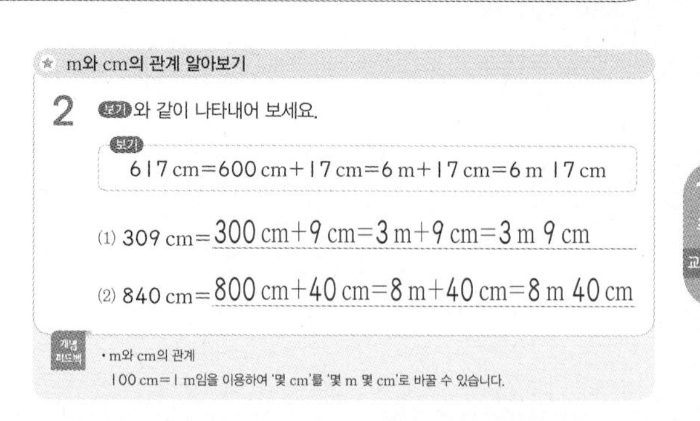

2 보기 와 같이 나타내어 보세요.

보기
617 cm=600 cm+17 cm=6 m+17 cm=6 m 17 cm

(1) 309 cm=300 cm+9 cm=3 m+9 cm=3 m 9 cm

(2) 840 cm=800 cm+40 cm=8 m+40 cm=8 m 40 cm

개념 피드백 • m와 cm의 관계
100 cm=1 m임을 이용하여 '몇 cm'를 '몇 m 몇 cm'로 바꿀 수 있습니다.

2-1 다음 중 길이를 바르게 나타낸 것을 찾아 기호를 써 보세요.

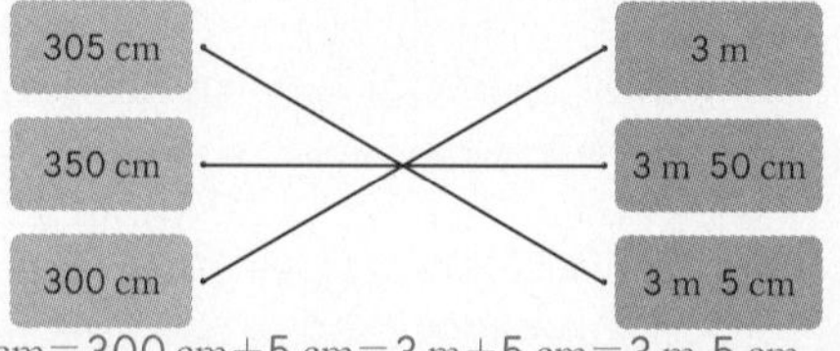

㉠ 2 m 19 cm=291 cm
㉡ 4 m 5 cm=405 cm
㉢ 7 m 10 cm=701 cm

(㉡)

✤ ㉠ 2 m 19 cm=2 m+19 cm=200 cm+19 cm=219 cm
㉢ 7 m 10 cm=7 m+10 cm=700 cm+10 cm=710 cm

2-2 같은 길이를 나타내는 것끼리 선으로 이어 보세요.

305 cm	3 m
350 cm	3 m 50 cm
300 cm	3 m 5 cm

(305 cm — 3 m 5 cm, 350 cm — 3 m 50 cm, 300 cm — 3 m)

✤ 305 cm=300 cm+5 cm=3 m+5 cm=3 m 5 cm,
350 cm=300 cm+50 cm=3 m+50 cm=3 m 50 cm,
300 cm=3 m

26쪽 ~ 27쪽

정답과 풀이 p.6

3단계 교과서 실력 다지기

★ 길이 비교하기

3 길이를 비교하여 ○ 안에 >, =, <를 알맞게 써넣으세요.

(1) 8 m ⃝> 792 cm

(2) 505 cm ⃝< 5 m 50 cm

개념 피드백 • '몇 m'와 '몇 cm', '몇 cm'와 '몇 m 몇 cm'의 길이 비교
100 cm=1 m임을 이용하여 '몇 cm'를 '몇 m' 또는 '몇 m 몇 cm'로 바꾸거나 '몇 m 몇 cm'를 '몇 cm'로 바꾸어 길이를 비교합니다.

✤ (1) 8 m=800 cm이므로 8 m>792 cm입니다.
(2) 505 cm=5 m 5 cm이므로 505 cm<5 m 50 cm입니다.

3-1 길이가 더 긴 것의 기호를 써 보세요.

㉠ 2 m 38 cm+3 m 16 cm
㉡ 7 m 20 cm−2 m 15 cm

(㉠)

✤ ㉠ 2 m 38 cm+3 m 16 cm=5 m 54 cm
㉡ 7 m 20 cm−2 m 15 cm=5 m 5 cm
➔ 5 m 54 cm>5 m 5 cm이므로 더 긴 것은 ㉠입니다.

3-2 선물을 포장하기 위해 사용한 리본의 길이가 가장 긴 것에 ○표 하세요.

309 cm
( )

320 cm
(○)

2 m 98 cm
( )

✤ 2 m 98 cm=298 cm이므로
320 cm>309 cm>2 m 98 cm입니다.

★ 길이 어림하기

4 정호의 발 길이는 20 cm입니다. 책꽂이 긴 쪽의 길이를 발 길이로 재었더니 약 6번입니다. 책꽂이 긴 쪽의 길이는 약 몇 cm일까요?

답 약 120 cm

개념 피드백 • 몸의 일부를 이용하여 길이 재기
걸음은 뼘에 비해 긴 길이를 잴 때 좋습니다.
뼘은 걸음에 비해 짧은 길이를 잴 때 좋습니다.

✤ 정호의 발 길이가 20 cm이므로 정호의 발 길이로 5번이면 약 100 cm입니다.
따라서 책꽂이 긴 쪽의 길이는 발 길이로 약 6번이므로 약 120 cm입니다.

4-1 승기가 양팔을 벌린 길이는 110 cm입니다. 버스의 길이를 양팔을 벌린 길이로 재었더니 약 5번입니다. 버스의 길이는 약 몇 m 몇 cm일까요?

(약 5 m 50 cm)

✤ 110 cm=1 m 10 cm
➔ 1 m 10 cm+1 m 10 cm+1 m 10 cm+1 m 10 cm+1 m 10 cm
=5 m 50 cm

4-2 칠판 긴 쪽의 길이를 1 m짜리 막대로 4번을 재면 마지막 막대의 약 30 cm가 남습니다. 칠판 긴 쪽의 길이는 약 몇 m 몇 cm일까요?

(약 3 m 70 cm)

✤ 1 m로 4번은 4 m입니다.
➔ 4 m−30 cm=3 m 100 cm−30 cm=3 m 70 cm

정답과 풀이 p.7

★ 수 카드로 만든 길이의 합과 차 구하기

5 수 카드 3장을 한 번씩 사용하여 길이 ■ m ▲● cm를 만들려고 합니다. 가장 긴 길이를 만들고, 그 길이와 4 m 16 cm의 차를 구해 보세요.
(단, ■, ▲, ●는 한 자리 수입니다.)

[8] [1] [5] 가장 긴 길이: [8] m [51] cm

→ [8] m [51] cm−4 m 16 cm=[4] m [35] cm

개념 파드백 • 수 카드로 길이 ■ m ▲● cm 만들기
가장 긴 길이는 ■>▲>●가 되도록 만들고 가장 짧은 길이는 ■<▲<●가 되도록 만들면 됩니다.

✤ 만들 수 있는 가장 긴 길이: 8>5>1이므로 8 m 51 cm입니다.
→ 차 8 m 51 cm−4 m 16 cm=4 m 35 cm

5-1 수 카드 3장을 한 번씩 사용하여 길이 ■ m ▲● cm를 만들려고 합니다. 가장 짧은 길이를 만들고, 그 길이와 1 m 38 cm의 합을 구해 보세요.
(단, ■, ▲, ●는 한 자리 수입니다.)

[4] [2] [6] 가장 짧은 길이 (2 m 46 cm)
합 (3 m 84 cm)

✤ 만들 수 있는 가장 짧은 길이: 2<4<6이므로 2 m 46 cm입니다.
→ 합 2 m 46 cm+1 m 38 cm=3 m 84 cm

5-2 수 카드 6장 중 3장을 한 번씩 사용하여 길이 ■ m ▲● cm를 만들려고 합니다. 가장 긴 길이와 가장 짧은 길이의 차를 구해 보세요.
(단, ■, ▲, ●는 한 자리 수입니다.)

[2] [9] [1] [4] [7] [5]

✤ 만들 수 있는 가장 긴 길이: 9 m 75 cm, (8 m 51 cm)
가장 짧은 길이: 1 m 24 cm
→ 차 9 m 75 cm−1 m 24 cm=8 m 51 cm

★ □ 안에 알맞은 수 구하기

6 □ 안에 알맞은 수를 써넣으세요.

(1) ㉠[4] m 32 cm + 4 m ㉡[18] cm = 8 m 50 cm
(2) 2 m ㉡[46] cm + ㉠[3] m 41 cm = 5 m 87 cm

개념 파드백 • 길이의 합과 차에서 □ 안에 알맞은 수 구하기
① 길이의 합과 차에서 cm는 cm끼리, m는 m끼리 계산합니다.
② 받아올림과 받아내림이 있는 경우는 받아올림한 수와 받아내림한 수도 같이 계산합니다.

✤ (1) cm 단위: 32+㉡=50 → 50−32=㉡, ㉡=18
m 단위: ㉠+4=8 → 8−4=㉠, ㉠=4
(2) cm 단위: ㉡+41=87 → 87−41=㉡, ㉡=46
m 단위: 2+㉠=5 → 5−2=㉠, ㉠=3

6-1 □ 안에 알맞은 수를 써넣으세요.

(1) ㉠[5] m 70 cm − 2 m ㉡[35] cm = 3 m 35 cm
(2) 8 m 46 cm − ㉠[4] m ㉡[34] cm = 4 m 12 cm

✤ (1) cm 단위: 70−㉡=35 → ㉡+35=70, 70−35=㉡, ㉡=35
m 단위: ㉠−2=3 → 3+2=㉠, ㉠=5
(2) cm 단위: 46−㉡=12 → ㉡+12=46, 46−12=㉡, ㉡=34
m 단위: 8−㉠=4 → ㉠+4=8, 8−4=㉠, ㉠=4

6-2 □ 안에 알맞은 수를 써넣으세요.

(1) 3 m 58 cm + ㉠[5] m ㉡[75] cm = 9 m 33 cm
(2) 6 m ㉡[7] cm − ㉠[3] m 18 cm = 2 m 89 cm

✤ (1) cm 단위: 58+㉡=133 → 133−58=㉡, ㉡=75
m 단위: 1+3+㉠=9 → 4+㉠=9, 9−4=㉠, ㉠=5
(2) cm 단위: 100+㉡−18=89 → 82+㉡=89, 89−82=㉡, ㉡=7
m 단위: 6−1−㉠=2 → 5−㉠=2, ㉠+2=5, 5−2=㉠, ㉠=3

정답과 풀이 p.7

1 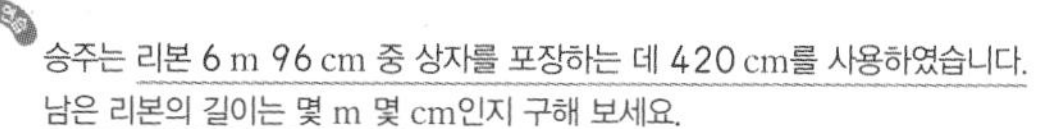
승주는 리본 6 m 96 cm 중 상자를 포장하는 데 420 cm를 사용하였습니다. 남은 리본의 길이는 몇 m 몇 cm인지 구해 보세요.

구하려는 것, 주어진 것에 선을 그어 봅니다.

해결하기 420 cm=[400] cm+20 cm
=[4] m+20 cm
=[4] m [20] cm
상자를 포장하고 남은 리본의 길이는
6 m 96 cm−[4] m [20] cm
=[2] m [76] cm입니다.

답 구하기 2 m 76 cm

2 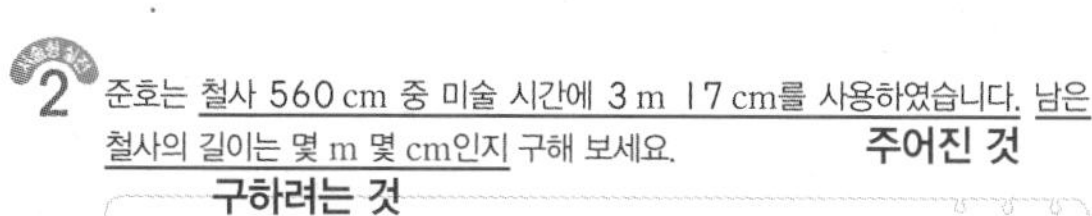
준호는 철사 560 cm 중 미술 시간에 3 m 17 cm를 사용하였습니다. 남은 철사의 길이는 몇 m 몇 cm인지 구해 보세요.
주어진 것
구하려는 것

구하려는 것, 주어진 것에 선을 그어 봅니다.

해결하기 예 560 cm=5 m 60 cm
→ 5 m 60 cm−3 m 17 cm
=2 m 43 cm

답 구하기 2 m 43 cm

3 수지네 집에서 수영장과 우체국 중 어느 곳이 몇 m 몇 cm 더 가까운지 구해 보세요.

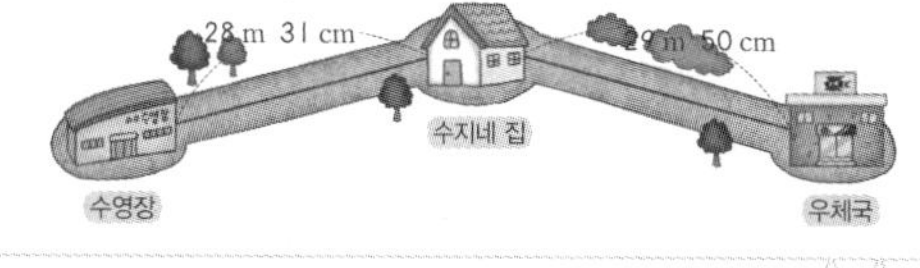

해결하기 거리를 비교하면 28 m 31 cm (<) 29 m 50 cm이므로
[수영장]이 더 가깝습니다.
→ 29 m 50 cm−28 m 31 cm=[1] m [19] cm

답 구하기 [수영장], [1 m 19 cm]

4 동호네 집에서 학교와 마트 중 어느 곳이 몇 m 몇 cm 더 먼지 구해 보세요.

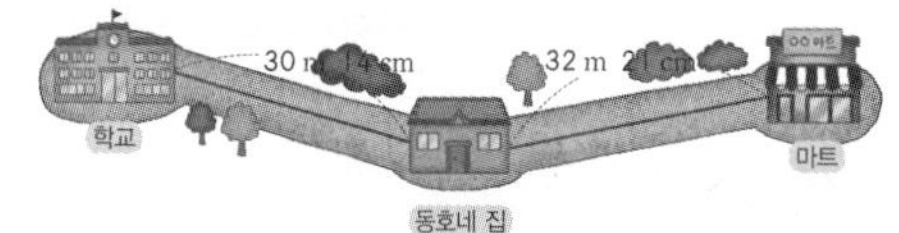

해결하기 예 30 m 14 cm<32 m 21 cm
→ 32 m 21 cm−30 m 14 cm
=2 m 7 cm

답 구하기 마트, 2 m 7 cm

32쪽 ~ 33쪽

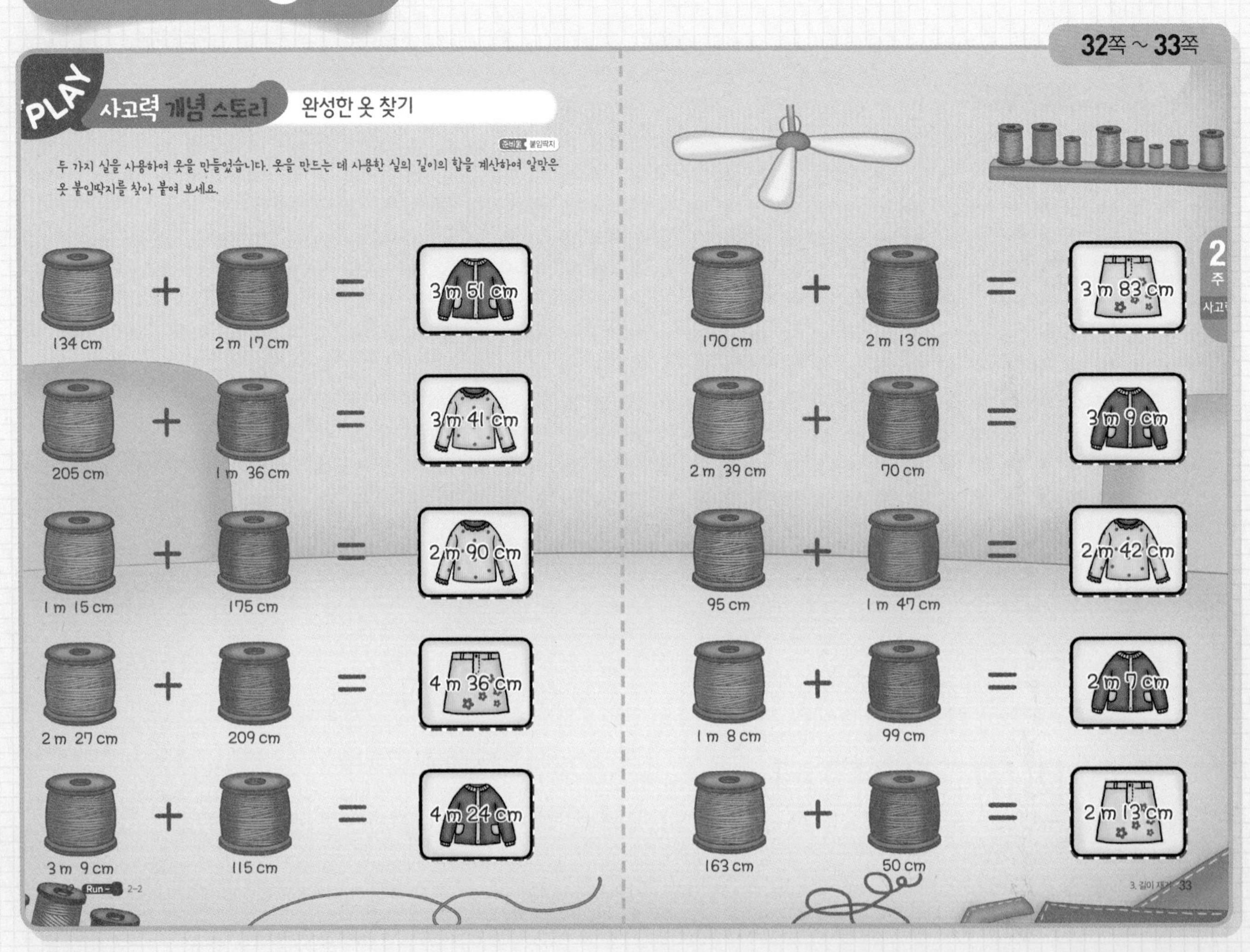
PLAY 사고력 개념 스토리
완성한 옷 찾기
두 가지 실을 사용하여 옷을 만들었습니다. 옷을 만드는 데 사용한 실의 길이의 합을 계산하여 알맞은 옷 붙임딱지를 찾아 붙여 보세요.
134 cm
2 m 17 cm
3 m 51 cm
205 cm
1 m 36 cm
3 m 41 cm
1 m 15 cm
175 cm
2 m 90 cm
2 m 27 cm
209 cm
4 m 36 cm
3 m 9 cm
115 cm
4 m 24 cm
170 cm
2 m 13 cm
3 m 83 cm
2 m 39 cm
70 cm
3 m 9 cm
95 cm
1 m 47 cm
2 m 42 cm
1 m 8 cm
99 cm
2 m 7 cm
163 cm
50 cm
2 m 13 cm

34쪽 ~ 35쪽

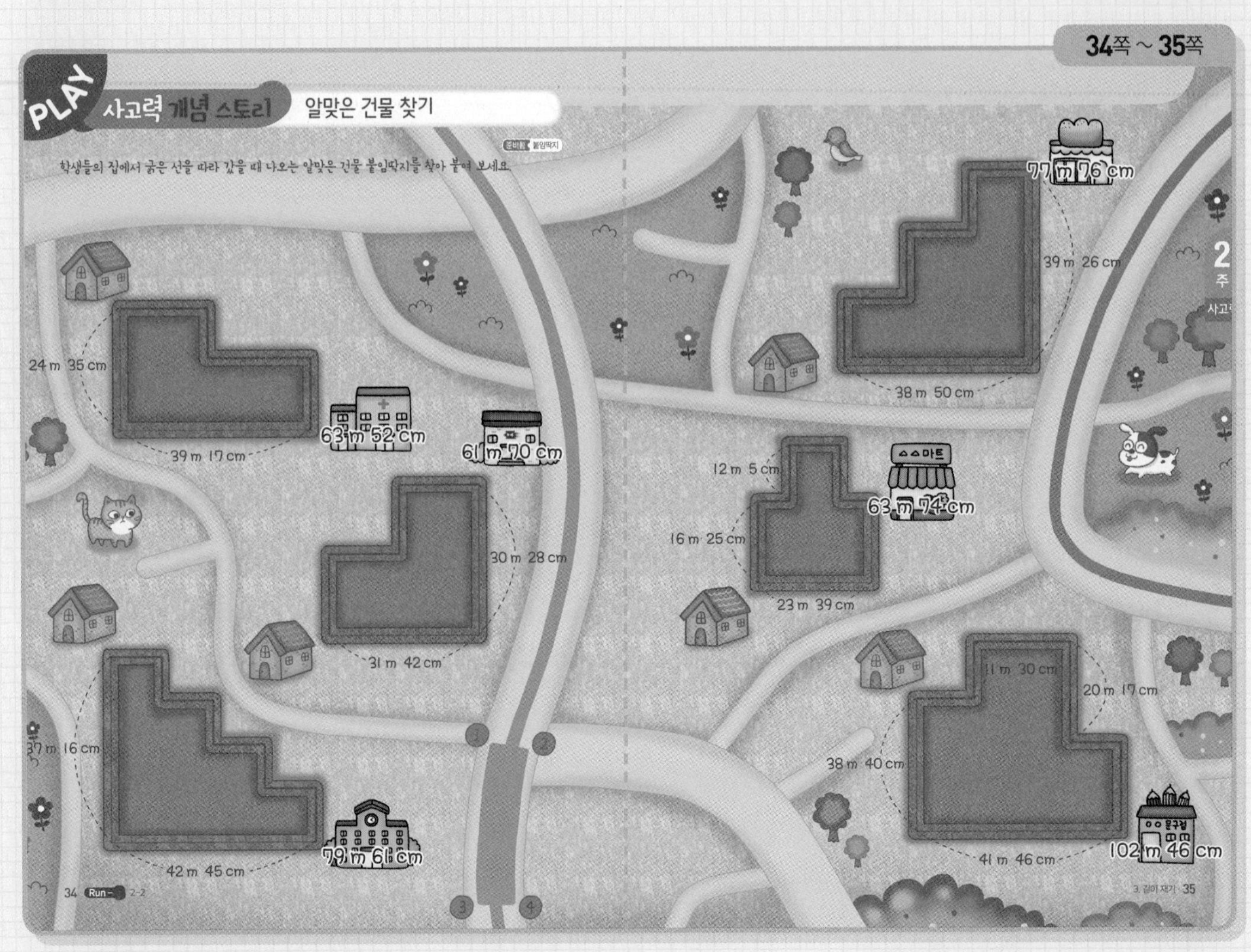
PLAY 사고력 개념 스토리
알맞은 건물 찾기
학생들의 집에서 굵은 선을 따라 갔을 때 나오는 알맞은 건물 붙임딱지를 찾아 붙여 보세요.
24 m 35 cm
39 m 17 cm
63 m 52 cm
61 m 70 cm
30 m 28 cm
31 m 42 cm
37 m 16 cm
42 m 45 cm
79 m 61 cm
77 m 76 cm
39 m 26 cm
38 m 50 cm
12 m 5 cm
16 m 25 cm
23 m 39 cm
63 m 74 cm
11 m 30 cm
20 m 17 cm
38 m 40 cm
41 m 46 cm
102 m 46 cm

정답과 풀이 p.9

1 단계 교과 사고력 잡기

1 민호와 진영이가 운동장에서 굴렁쇠 굴리기 연습을 하였습니다. 굴렁쇠의 굴러간 거리가 더 긴 학생은 누구인지 구해 보세요.

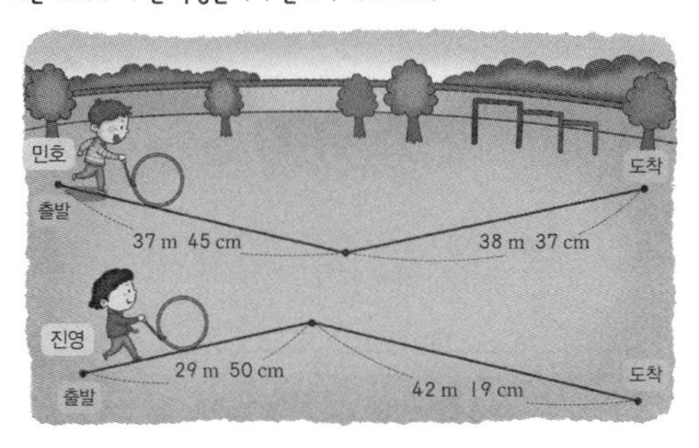

❶ 민호가 굴린 굴렁쇠의 굴러간 거리는 몇 m 몇 cm일까요? (75 m 82 cm)

✤ 37 m 45 cm+38 m 37 cm
=(37 m+38 m)+(45 cm+37 cm)
=75 m 82 cm

❷ 진영이가 굴린 굴렁쇠의 굴러간 거리는 몇 m 몇 cm일까요? (71 m 69 cm)

✤ 29 m 50 cm+42 m 19 cm
=(29 m+42 m)+(50 cm+19 cm)
=71 m 69 cm

❸ 굴렁쇠의 굴러간 거리가 더 긴 학생은 누구일까요? (민호)

✤ 75 m 82 cm>71 m 69 cm이므로
굴렁쇠의 굴러간 거리가 더 긴 학생은 민호입니다.

2 ㉠부터 ㉣까지의 거리는 몇 m 몇 cm인지 구해 보세요.

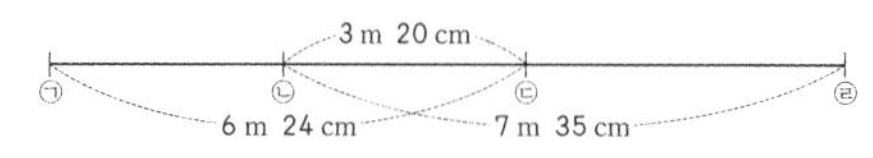

❶ ㉠부터 ㉢까지의 거리와 ㉡부터 ㉣까지의 거리의 합은 몇 m 몇 cm일까요? (13 m 59 cm)

✤ 6 m 24 cm+7 m 35 cm
=(6 m+7 m)+(24 cm+35 cm)
=13 m 59 cm

❷ ㉠부터 ㉣까지의 거리는 몇 m 몇 cm일까요? (10 m 39 cm)

✤ (㉠부터 ㉣까지의 거리)
=(㉠부터 ㉢까지의 거리)+(㉡부터 ㉣까지의 거리)
−(㉡부터 ㉢까지의 거리)
=13 m 59 cm−3 m 20 cm
=(13 m−3 m)+(59 cm−20 cm)
=10 m 39 cm

3 ㉡부터 ㉢까지의 거리는 몇 m 몇 cm인지 구해 보세요.

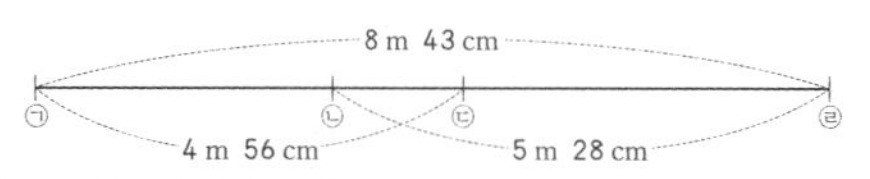

✤ (㉡부터 ㉢까지의 거리) (1 m 41 cm)
=(㉠부터 ㉢까지의 거리)+(㉡부터 ㉣까지의 거리)
−(㉠부터 ㉣까지의 거리)
=4 m 56 cm+5 m 28 cm−8 m 43 cm
=(4 m+5 m)+(56 cm+28 cm)−8 m 43 cm
=9 m 84 cm−8 m 43 cm
=(9 m−8 m)+(84 cm−43 cm)
=1 m 41 cm

정답과 풀이 p.9

1 단계 교과 사고력 잡기

4 세 변의 길이가 모두 같은 삼각형과 네 변의 길이가 모두 같은 사각형이 있습니다. 두 도형의 둘레의 길이의 합은 몇 m 몇 cm인지 구해 보세요.

삼각형의 둘레는 세 변의 길이의 합이야.

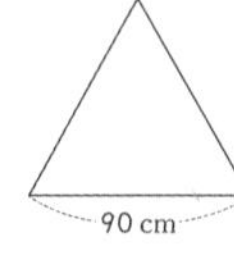

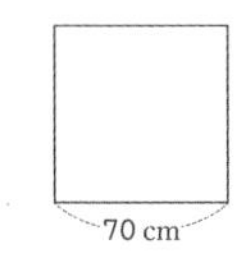

사각형의 둘레는 네 변의 길이의 합이야.
최고!

❶ 삼각형의 세 변의 길이의 합은 몇 m 몇 cm일까요? (2 m 70 cm)

✤ (삼각형의 둘레)=90 cm+90 cm+90 cm
=180 cm+90 cm
=1 m 80 cm+90 cm=1 m 170 cm
=2 m 70 cm

❷ 사각형의 네 변의 길이의 합은 몇 m 몇 cm일까요? (2 m 80 cm)

✤ (사각형의 둘레)=70 cm+70 cm+70 cm+70 cm
=140 cm+70 cm+70 cm
=1 m 40 cm+70 cm+70 cm
=1 m 110 cm+70 cm
=2 m 10 cm+70 cm=2 m 80 cm

❸ 두 도형의 둘레의 길이의 합은 몇 m 몇 cm일까요? (5 m 50 cm)

✤ (두 도형의 둘레의 길이의 합)
=(삼각형의 세 변의 길이의 합)+(사각형의 네 변의 길이의 합)
=2 m 70 cm+2 m 80 cm
=4 m 150 cm=5 m 50 cm

5 도로 한쪽에 처음부터 끝까지 80 cm 간격으로 나무를 9그루 심었습니다. 이 도로의 길이는 몇 m 몇 cm인지 구해 보세요.
(단, 나무의 굵기는 모두 20 cm입니다.)

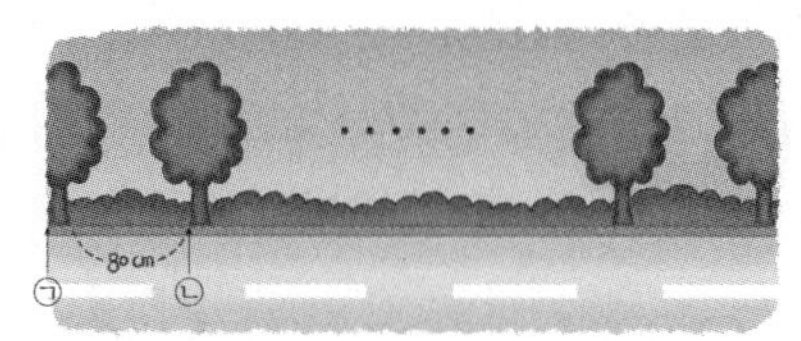

❶ 나무 사이의 간격은 모두 몇 군데일까요? (8군데)

✤ 9−1=8(군데)

❷ ㉠부터 ㉡까지의 길이는 몇 cm일까요? (100 cm)

✤ 20+80=100 (cm)

❸ 도로의 길이는 몇 m 몇 cm일까요? (8 m 20 cm)

✤ ㉠부터 ㉡까지의 길이는 100 cm=1 m입니다.
도로의 길이는 1 m를 8번 지나고 나무 1그루까지이므로 8 m 20 cm입니다.

2단계 교과 사고력 확장

정답과 풀이 p.10

1 그림을 보고 □ 안에 알맞은 수를 써넣으세요.

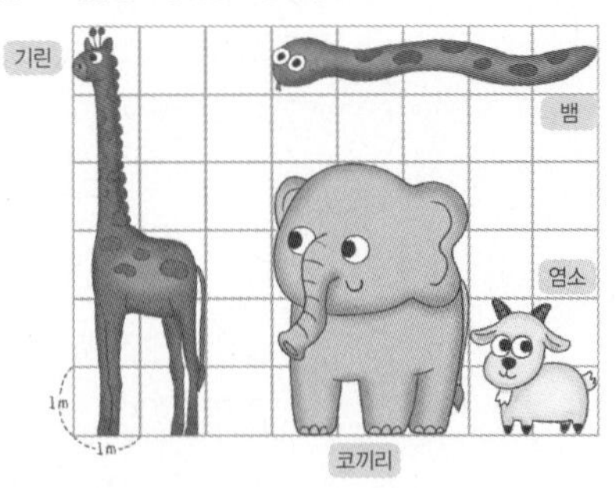

❶ 기린의 키는 약 6 m입니다.

✤ 기린의 키는 1 m로 6번 정도이므로 약 6 m입니다.

❷ 뱀의 몸 길이는 약 5 m입니다.

✤ 뱀의 몸 길이는 1 m로 5번 정도이므로 약 5 m입니다.

❸ 염소의 몸 길이는 약 2 m입니다.

✤ 염소의 몸 길이는 1 m로 2번 정도이므로 약 2 m입니다.

❹ 코끼리의 키는 약 4 m입니다.

✤ 코끼리의 키는 1 m로 4번 정도이므로 약 4 m입니다.

2 도서관 책꽂이 한 칸의 높이는 30 cm입니다. 학생들의 키는 약 몇 m 몇 cm인지 구해 보세요.

❶ 진주의 키는 약 몇 cm일까요?

(약 90 cm)

✤ 진주의 키는 책꽂이 3칸의 높이와 비슷합니다.
➔ $30+30+30=90$ (cm)

❷ 동호의 키는 약 몇 m 몇 cm일까요?

(약 1 m 20 cm)

✤ 동호의 키는 책꽂이 4칸의 높이와 비슷합니다.
➔ $30+30+30+30=120$ (cm) ➔ 1 m 20 cm

❸ 민재의 키는 약 몇 m 몇 cm일까요?

(약 1 m 50 cm)

✤ 민재의 키는 책꽂이 5칸의 높이와 비슷합니다.
➔ $30+30+30+30+30=150$ (cm)
➔ 1 m 50 cm

2단계 교과 사고력 확장

정답과 풀이 p.10

3 혜미네 집에서 학교까지 가는 길을 나타낸 지도입니다. 혜미네 집에서 마트를 거쳐 학교까지 가는 거리는 몇 m 몇 cm인지 구해 보세요.

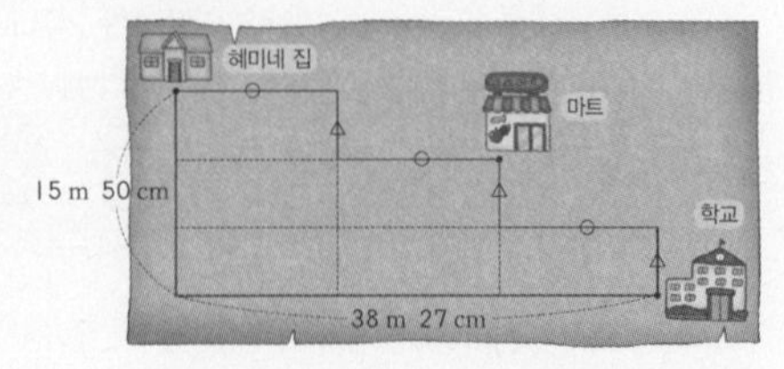

❶ 빨간색 선(○)의 길이의 합은 몇 m 몇 cm일까요?

(38 m 27 cm)

✤ 빨간색 선의 길이의 합은 38 m 27 cm입니다.

❷ 파란색 선(△)의 길이의 합은 몇 m 몇 cm일까요?

(15 m 50 cm)

✤ 파란색 선의 길이의 합은 15 m 50 cm입니다.

❸ 혜미네 집에서 마트를 거쳐 학교까지 가는 거리는 몇 m 몇 cm일까요?

(53 m 77 cm)

✤ 38 m 27 cm + 15 m 50 cm
= (38 m + 15 m) + (27 cm + 50 cm)
= 53 m 77 cm

4 그림과 같이 끈으로 상자를 묶었습니다. 상자를 묶는 매듭의 길이가 30 cm일 때 상자를 묶는 데 사용한 끈의 길이로 알맞은 것을 찾아 선으로 이어 보세요.

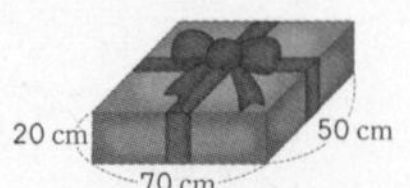

3 m 50 cm

✤ $70+70=140$ (cm) → 1 m 40 cm, $50+50=100$ (cm) → 1 m, $20+20+20+20=80$ (cm)
➔ 1 m 40 cm + 1 m + 80 cm + 30 cm
= 2 m 150 cm = 3 m 50 cm

4 m 50 cm

5 m 50 cm

✤ 1 m 10 cm + 1 m 10 cm = 2 m 20 cm, $30+30=60$ (cm), $60+60+60+60=240$ (cm) → 2 m 40 cm
➔ 2 m 20 cm + 60 cm + 2 m 40 cm + 30 cm
= 4 m 150 cm = 5 m 50 cm

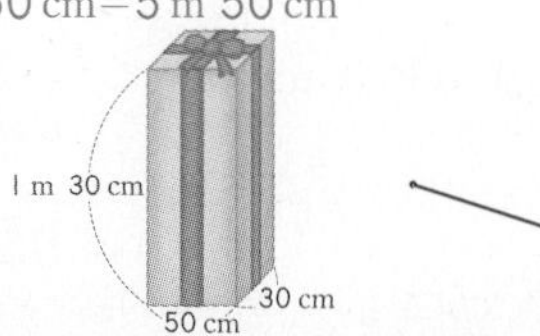

7 m 10 cm

✤ $50+50=100$ (cm) → 1 m, $30+30=60$ (cm),
1 m 30 cm + 1 m 30 cm + 1 m 30 cm + 1 m 30 cm
= 4 m 120 cm = 5 m 20 cm
➔ 1 m + 60 cm + 5 m 20 cm + 30 cm
= 6 m 110 cm = 7 m 10 cm

3단계 교과 사고력 완성

정답과 풀이 p.11

평가 영역 □개념 이해력 ☑개념 응용력 □창의력 ☑문제 해결력

1 다음은 집의 구조를 나타낸 그림입니다. 침실 2의 둘레의 길이를 구해 보세요.

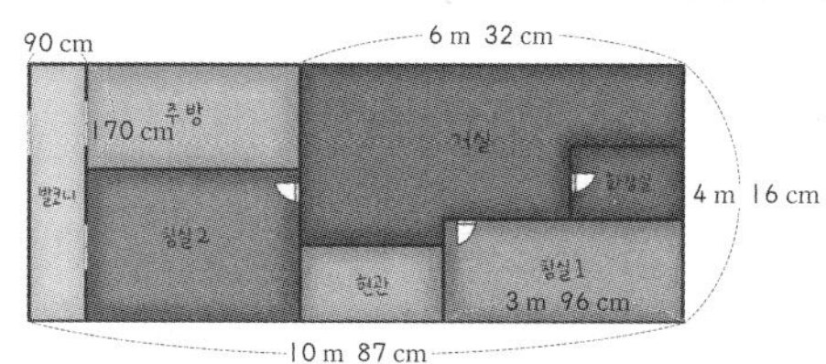

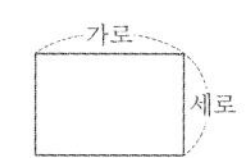

① 침실 2의 가로 길이는 몇 m 몇 cm일까요?

(3 m 65 cm)

✤ 10 m 87 cm−90 cm−6 m 32 cm
=9 m 187 cm−90 cm−6 m 32 cm
=9 m 97 cm−6 m 32 cm
=3 m 65 cm

② 침실 2의 세로 길이는 몇 m 몇 cm일까요?

(2 m 46 cm)

✤ 170 cm=1 m 70 cm.
➔ 4 m 16 cm−1 m 70 cm=3 m 116 cm−1 m 70 cm
=2 m 46 cm

③ 침실 2의 둘레의 길이는 몇 m 몇 cm일까요?

(12 m 22 cm)

✤ 3 m 65 cm+3 m 65 cm+2 m 46 cm+2 m 46 cm
=6 m 130 cm+2 m 46 cm+2 m 46 cm
=7 m 30 cm+2 m 46 cm+2 m 46 cm
=9 m 76 cm+2 m 46 cm
=11 m 122 cm
=12 m 22 cm

평가 영역 □개념 이해력 □개념 응용력 ☑창의력 ☑문제 해결력

2 윤호 아버지의 키는 1 m 82 cm입니다. 가족들의 대화를 읽고 물음에 답하세요.

① 윤호의 키는 몇 m 몇 cm일까요?

(1 m 18 cm)

✤ 1 m 82 cm−64 cm=1 m 18 cm

② 형의 키는 몇 m 몇 cm일까요?

(1 m 33 cm)

✤ 1 m 18 cm+15 cm=1 m 33 cm

③ 어머니의 키는 윤호의 키보다 몇 cm 더 클까요?

(50 cm)

✤ 1 m 68 cm−1 m 18 cm=50 cm

Test 종합평가 3. 길이 재기

맞은 개수

정답과 풀이 p.11

1 길이를 바르게 읽어 보세요.

3 m 69 cm

(3 미터 69 센티미터)

✤ m는 미터, cm는 센티미터라고 읽습니다.

2 □ 안에 알맞은 수를 써넣으세요.

(1) 472 cm= 4 m 72 cm

(2) 6 m 91 cm= 691 cm

✤ (1) 472 cm=400 cm+72 cm=4 m+72 cm=4 m 72 cm
(2) 6 m 91 cm=6 m+91 cm=600 cm+91 cm=691 cm

3 우산의 길이는 몇 m 몇 cm일까요?

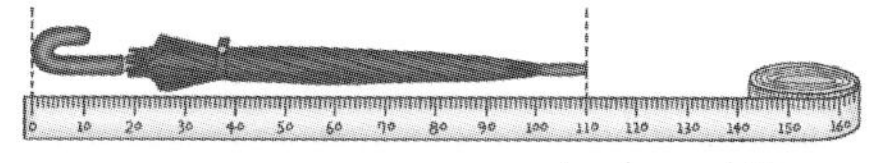

(1 m 10 cm)

✤ 우산의 왼쪽 끝이 눈금 0에 있고 오른쪽 끝에 있는 눈금이 110이므로 110 cm입니다.
➔ 110 cm=100 cm+10 cm=1 m 10 cm

4 길이를 비교하여 ○ 안에 >, =, <를 알맞게 써넣으세요.

405 cm 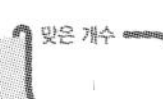 4 m 50 cm

✤ 405 cm=400 cm+5 cm=4 m 5 cm이므로
4 m 5 cm<4 m 50 cm입니다.

5 길이의 합과 차를 각각 구해 보세요.

(1)
```
    5 m  25 cm
+   3 m  35 cm
    8 m  60 cm
```

(2)
```
    8 m  72 cm
−   2 m  48 cm
    6 m  24 cm
```

✤ (1) cm는 cm끼리, m는 m끼리 더합니다.
(2) cm는 cm끼리, m는 m끼리 뺍니다.

6 두 길이의 차를 구해 보세요.

9 m 70 cm 6 m 23 cm

(3 m 47 cm)

✤ 9 m 70 cm−6 m 23 cm=3 m 47 cm

7 두 리본을 겹치지 않게 이어 붙였을 때 이어 붙인 리본의 전체 길이는 몇 m 몇 cm일까요?

4 m 24 cm 361 cm

(7 m 85 cm)

✤ 361 cm=3 m 61 cm이므로
4 m 24 cm+3 m 61 cm=7 m 85 cm입니다.

8 길이가 1 m보다 긴 것에 ○표 하세요.

가위의 길이	교실 문의 높이	신발의 길이
( )	(○)	( )

✤ 교실 문의 높이는 약 2 m입니다.

Test 종합평가 3. 길이 재기

정답과 풀이 p.12

9 진서의 키가 1 m일 때 기린의 키는 약 몇 m일까요?

(약 4 m)

✤ 기린의 키는 진서의 키의 약 4배이므로 약 4 m입니다.

10 몸의 일부를 이용하여 공책 짧은 쪽의 길이를 재려고 합니다. 다음 방법 중 알맞은 것에 ○표 하세요.

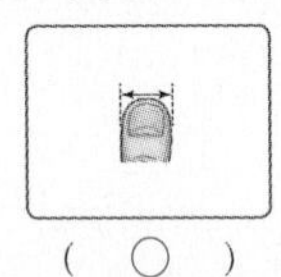 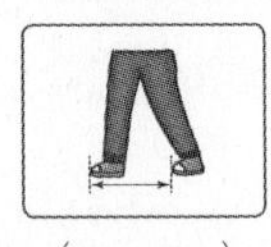

(○) (   )

✤ 공책 짧은 쪽의 길이는 걸음의 길이보다 짧으므로 엄지 너비의 길이로 재야 합니다.

11 cm와 m 중 알맞은 단위를 □ 안에 써넣으세요.

(1) 교실 긴 쪽의 길이는 약 10 [m]입니다.

(2) 색연필의 길이는 약 8 [cm]입니다.

✤ 생활 속 길이를 어림해 보고 길이를 찾아봅니다.

12 □ 안에 알맞은 수를 써넣으세요.

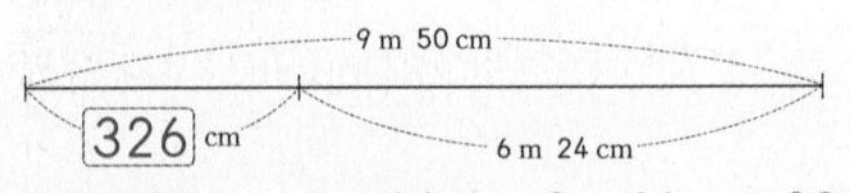

✤ 9 m 50 cm−6 m 24 cm=3 m 26 cm=326 cm

13 세 변의 길이가 모두 같은 삼각형입니다. 세 변의 길이의 합은 몇 m 몇 cm일까요?

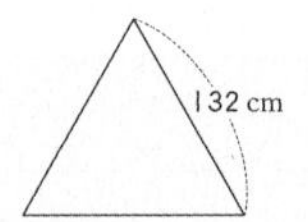

(3 m 96 cm)

✤ 132 cm=1 m 32 cm
➜ 1 m 32 cm+1 m 32 cm+1 m 32 cm
=2 m 64 cm+1 m 32 cm
=3 m 96 cm

14 다음 중 가장 긴 길이와 가장 짧은 길이의 차는 몇 m 몇 cm일까요?

㉠ 304 cm	㉡ 310 cm
㉢ 4 m 16 cm	㉣ 4 m 9 cm

(1 m 12 cm)

✤ ㉠ 304 cm=3 m 4 cm
㉡ 310 cm=3 m 10 cm
➜ ㉢>㉣>㉡>㉠
➜ 4 m 16 cm−3 m 4 cm=1 m 12 cm

15 상혁이는 학교에서 병원을 지나 집까지 걸어갔습니다. 상혁이가 걸어간 거리는 몇 m 몇 cm일까요?

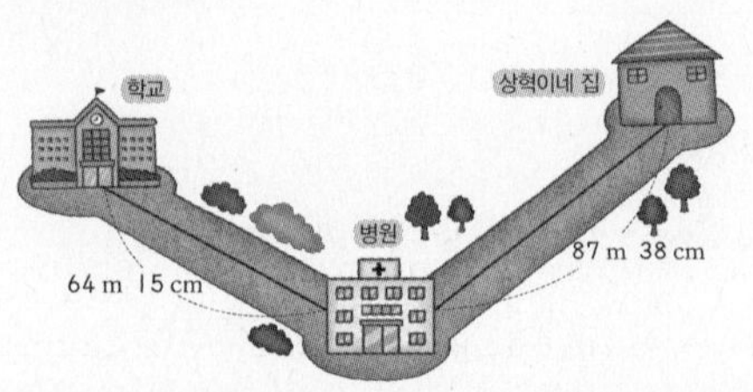

(151 m 53 cm)

✤ 64 m 15 cm+87 m 38 cm=151 m 53 cm

Test 종합평가 3. 길이 재기

정답과 풀이 p.12

16 색 테이프 두 장을 그림과 같이 겹치게 이어 붙였습니다. 이어 붙인 색 테이프의 전체 길이는 몇 m 몇 cm인지 구해 보세요.

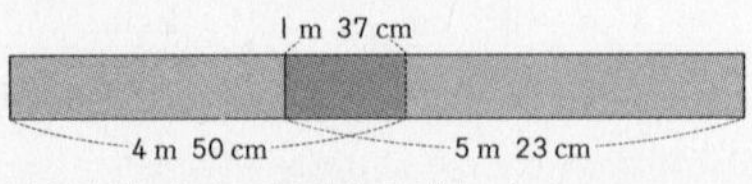

(8 m 36 cm)

✤ (이어 붙인 색 테이프의 전체 길이)
=4 m 50 cm+5 m 23 cm−1 m 37 cm
=9 m 73 cm−1 m 37 cm
=8 m 36 cm

17 수 카드 3장을 한 번씩 사용하여 길이 ■ m ▲● cm를 만들려고 합니다. 가장 긴 길이와 2 m 42 cm의 차를 구해 보세요.
(단, ■, ▲, ●는 한 자리 수입니다.)

(6 m 33 cm)

✤ 8>7>5이므로 가장 긴 길이는 8 m 75 cm입니다.
➜ (차)=8 m 75 cm−2 m 42 cm=6 m 33 cm

18 그림과 같이 리본으로 선물을 포장하려고 합니다. 매듭의 길이가 20 cm일 때 선물을 포장하는 데 사용한 리본은 모두 몇 m 몇 cm인지 구해 보세요.

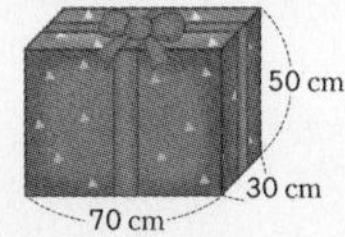

(4 m 20 cm)

✤ 70+70=140 (cm)
→ 1 m 40 cm, 30+30=60 (cm),
50+50+50+50=200 (cm) → 2 m
➜ 1 m 40 cm+60 cm+2 m+20 cm
=3 m 120 cm=4 m 20 cm

특강 창의·융합 사고력

1 어느 건물의 지상 한 층의 높이는 3 m 26 cm이고, 지하 한 층의 높이는 2 m 45 cm입니다. 이 건물의 지하 2층부터 지상 3층까지의 높이는 몇 m 몇 cm인지 구해 보세요.

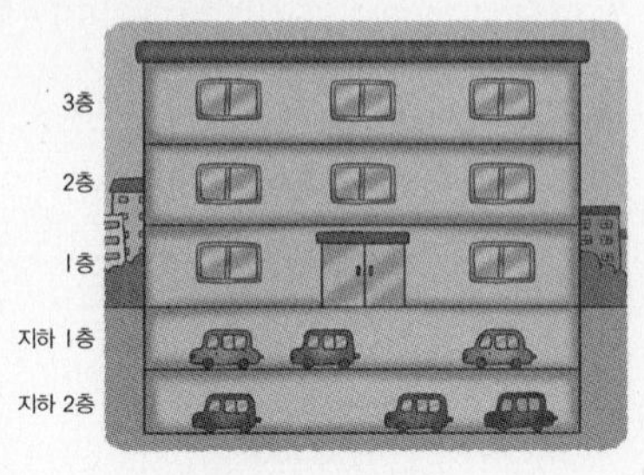

(1) 건물의 지상의 높이는 몇 m 몇 cm일까요?

(9 m 78 cm)

✤ 3 m 26 cm+3 m 26 cm+3 m 26 cm
=6 m 52 cm+3 m 26 cm
=9 m 78 cm

(2) 건물의 지하의 높이는 몇 m 몇 cm일까요?

(4 m 90 cm)

✤ 2 m 45 cm+2 m 45 cm
=4 m 90 cm

(3) 건물의 지하 2층부터 지상 3층까지의 높이는 몇 m 몇 cm일까요?

(14 m 68 cm)

✤ 9 m 78 cm+4 m 90 cm
=13 m 168 cm
=14 m 68 cm

4 시각과 시간

달력의 기원

현재 우리가 사용하고 있는 달력은 고대 이집트 사람들에 의해 만들어졌어요.

이집트에는 세계에서 가장 긴 나일강이 있는데 이 나일강의 범람이 되풀이되는 규칙을 찾아 집과 가축을 옮겨야만 했어요. 대신 나일강이 범람하여 홍수가 지나가고 나면 강가에 영양분과 비옥한 흙이 쌓여서 농사가 더욱 잘 되었어요.

그래서 이집트 사람들은 나일강이 흘러넘치는 시기를 좀 더 정확히 예측하기 위해서 열심히 관찰을 했고 결국 '시리우스'라는 별이 아침 해가 뜨기 직전 지평선에 나타나면 얼마 후 나일강이 흘러넘친다는 사실을 알았어요. 이것을 이용하여 1년을 365일로 맞추고 한 달을 30일, 1년을 12달로 정하고, 여기에 5일을 더했어요. 이렇게 태양의 움직임을 관찰해 만든 달력인 '태양력'을 만들었습니다.

태양력: 지구가 태양의 주위를 한 바퀴 도는 데 걸리는 시간을 1년으로 정해 만든 달력

태양을 중심으로 나만의 '태양력'을 만들어 보세요.

준비물 붙임딱지

예

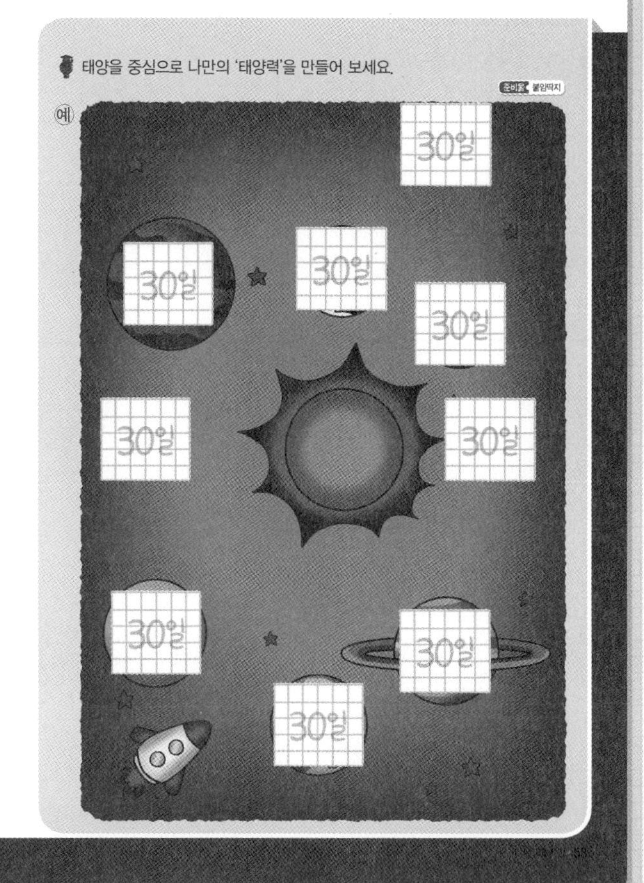

1단계 교과서 개념 잡기

개념 1 5분 단위까지 몇 시 몇 분 읽기

- 시계의 긴바늘이 가리키는 숫자가 1이면 5분, 2이면 10분, 3이면 15분……을 나타냅니다.
- 오른쪽 그림의 시계가 나타내는 시각은 7시 20분입니다.

짧은바늘은 7과 8 사이를 가리키고, 긴바늘은 4를 가리킵니다.

7시 20분

긴바늘이 가리키는 숫자	1	2	3	4	5	6	7	8	9	10	11	12
분	5	10	15	20	25	30	35	40	45	50	55	0

참고 짧은바늘이 ■와 ■+1 사이를 가리키고, 긴바늘이 ▲를 가리키면 ■시 (▲×5)분입니다.
(단, 짧은바늘이 12와 1 사이를 가리키면 12시 몇 분입니다.)

개념 2 1분 단위까지 몇 시 몇 분 읽기

- 시계에서 긴바늘이 가리키는 작은 눈금 한 칸은 1분을 나타냅니다.
- 오른쪽 그림의 시계가 나타내는 시각은 3시 12분입니다.

짧은바늘은 3과 4 사이를 가리키고, 긴바늘이 2에서 작은 눈금으로 2칸 더 간 곳을 가리킵니다.

3시 12분

참고 전자시계에서 ':' 앞의 수는 '시'를 나타내고, ':' 뒤의 수는 '분'을 나타냅니다.

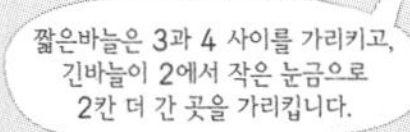

→ 4시 56분

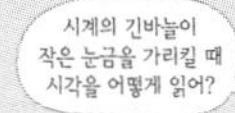

개념 확인 문제

정답과 풀이 p.13

1 시각을 써 보세요.

(1)

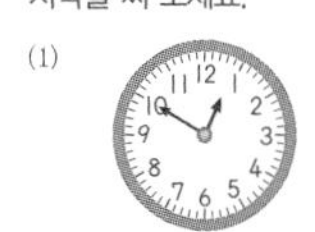

12 시 50 분

(2)

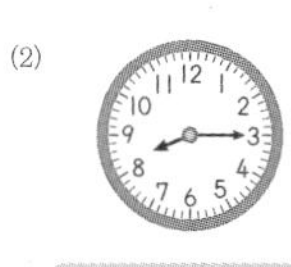

8 시 15 분

✤ (1) 시계의 짧은바늘은 12와 1 사이를 가리키고, 긴바늘은 10을 가리키므로 12시 50분입니다.
(2) 시계의 짧은바늘은 8과 9 사이를 가리키고, 긴바늘은 3을 가리키므로 8시 15분입니다.

2-1 □ 안에 알맞은 수를 써넣으세요.

시계에서 긴바늘이 가리키는 작은 눈금 한 칸은 1 분을 나타냅니다.

2-2 같은 시각을 나타내는 것끼리 선으로 이어 보세요.

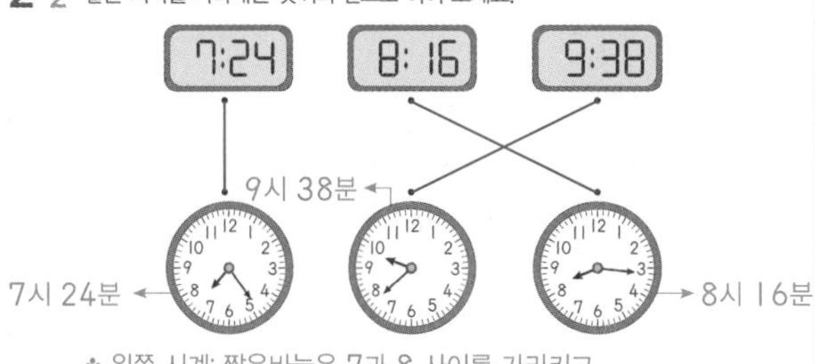

✤ 왼쪽 시계: 짧은바늘은 7과 8 사이를 가리키고, 긴바늘이 5에서 작은 눈금으로 1칸 덜 간 곳을 가리킵니다.
가운데 시계: 짧은바늘은 9와 10 사이를 가리키고, 긴바늘이 8에서 작은 눈금으로 2칸 덜 간 곳을 가리킵니다.
오른쪽 시계: 짧은바늘은 8과 9 사이를 가리키고, 긴바늘이 3에서 작은 눈금으로 1칸 더 간 곳을 가리킵니다.

56쪽 ~ 57쪽

1 교과서 개념 잡기

개념 3 여러 가지 방법으로 시각 읽기

- 오른쪽 시계의 시각은 2시 55분입니다.
- 2시 55분을 3시 5분 전이라고도 합니다.

- 오른쪽 시계의 시각은 6시 45분입니다.
- 6시 45분을 7시 15분 전이라고도 합니다.

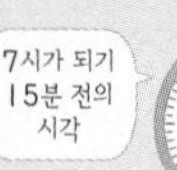

• 몇 시 몇 분 전을 시계에 나타내기

예 8시 10분 전을 시계에 나타내기

8시 10분 전은 7시 50분입니다.

- 짧은바늘: 7과 8 사이를 가리키게 나타냅니다.
- 긴바늘: 10을 가리키게 나타냅니다.

주의 몇 시 몇 분 전이라는 표현은 5분 전, 10분 전, 15분 전 등과 같이 실생활에서 자주 사용되는 경우만 다루며 그 외의 억지스럽거나 복잡한 경우는 다루지 않도록 주의합니다.

8시 40분 전
8시보다 7시에 가까우니까 7시 20분이라고 하는 게 더 좋겠어요.

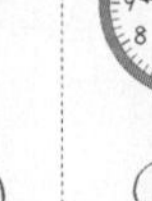

5시 14분 전
5시가 되기 몇 분 전인지 알아보는 것보다 4시 46분이라고 하는 게 더 간편하겠어요.

개념 확인 문제

정답과 풀이 p.14

3-1 시각을 써 보세요.

3 시 45 분

4 시 15 분 전

✤ 3시 45분은 4시가 되기 15분 전의 시각과 같으므로 4시 15분 전으로 나타낼 수 있습니다.

3-2 같은 시각을 나타내는 것끼리 선으로 이어 보세요.

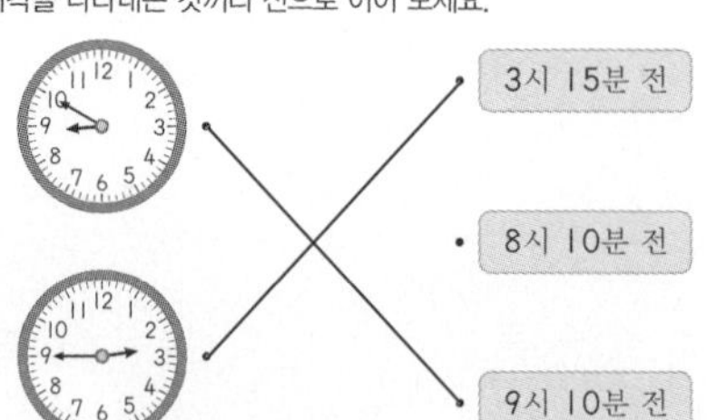

✤ • 8시 50분은 9시가 되기 10분 전의 시각과 같으므로 9시 10분 전으로 나타낼 수 있습니다.
• 2시 45분은 3시가 되기 15분 전의 시각과 같으므로 3시 15분 전으로 나타낼 수 있습니다.

3-3 시각에 맞게 긴바늘을 그려 넣으세요.

(1)

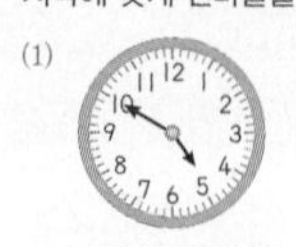

5시 10분 전

(2)

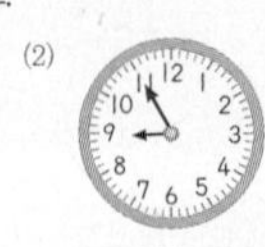

9시 5분 전

✤ (1) 5시 10분 전은 4시 50분이므로 긴바늘이 10을 가리키게 그립니다.
(2) 9시 5분 전은 8시 55분이므로 긴바늘이 11을 가리키게 그립니다.

3주 교과

58쪽 ~ 59쪽

1 교과서 개념 잡기

개념 4 1시간 알아보기

• 시계의 긴바늘이 한 바퀴 도는 데 60분의 시간이 걸립니다.
• 시계의 짧은바늘이 4에서 5로 움직이는 데 1시간이 걸립니다.

• 60분은 1시간입니다.

60분=1시간

개념 5 걸린 시간 구하기

숙제를 시작한 시각 / 숙제를 끝낸 시각

짧은바늘이 1칸만큼 움직인 시간 ➜ 1시간

긴바늘이 작은 눈금으로 10칸만큼 움직인 시간 ➜ 10분

➩ 숙제를 하는 데 걸린 시간은 1시간 10분=70분입니다.

참고 1시간 10분=60분+10분=70분

개념 확인 문제

정답과 풀이 p.14

4-1 □ 안에 알맞은 수를 써넣으세요.

시계의 긴바늘이 한 바퀴 도는 데 60 분의 시간이 걸립니다.

✤ (1) 2시간=1시간+1시간=60분+60분=120분
(2) 100분=60분+40분=1시간 40분

4-2 □ 안에 알맞은 수를 써넣으세요.

(1) 2시간=120 분 (2) 100분=1 시간 40 분

(3) 1시간 15분=75 분 (4) 190분=3 시간 10 분

(3) 1시간 15분=60분+15분=75분
(4) 190분=60분+60분+60분+10분
=1시간+1시간+1시간+10분=3시간 10분

5 버스가 도착하는 데 걸린 시간을 구해 보세요.

출발한 시각 / 도착한 시각

(1) 버스가 도착하는 데 걸린 시간을 시간 띠에 나타내어 보세요.

2시 10분 20분 30분 40분 50분 3시 10분 20분 30분 40분 50분 4시

(2) 버스가 도착하는 데 걸린 시간은 1 시간 40 분입니다.

(3) 1 시간 40 분=100 분

✤ (2) 2시 20분에서 3시까지의 시간: 40분, 3시에서 4시까지의 시간: 1시간 → 1시간 40분
(3) 1시간 40분=60분+40분=100분

3주 교과

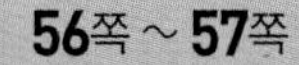

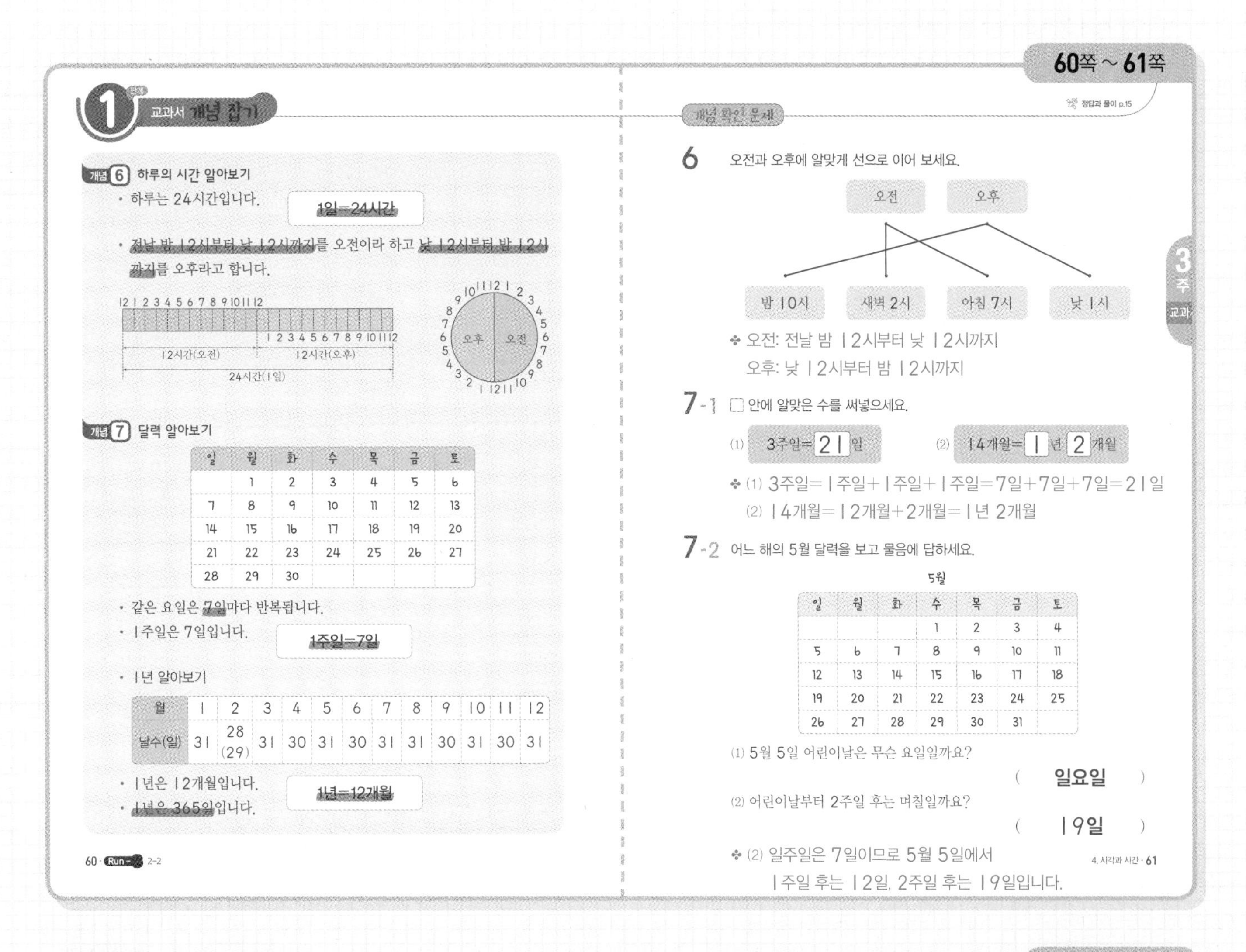
60쪽 ~ 61쪽

정답과 풀이 p.15

1 교과서 개념 잡기

개념 6 하루의 시간 알아보기

- 하루는 24시간입니다. 1일=24시간
- 전날 밤 12시부터 낮 12시까지를 오전이라 하고 낮 12시부터 밤 12시까지를 오후라고 합니다.

12시간(오전) 12시간(오후)
24시간(1일)

개념 7 달력 알아보기

일	월	화	수	목	금	토
	1	2	3	4	5	6
7	8	9	10	11	12	13
14	15	16	17	18	19	20
21	22	23	24	25	26	27
28	29	30				

- 같은 요일은 7일마다 반복됩니다.
- 1주일은 7일입니다. 1주일=7일
- 1년 알아보기

월	1	2	3	4	5	6	7	8	9	10	11	12
날수(일)	31	28 (29)	31	30	31	30	31	31	30	31	30	31

- 1년은 12개월입니다. 1년=12개월
- 1년은 365일입니다.

60 · Run- 2-2

개념 확인 문제

6 오전과 오후에 알맞게 선으로 이어 보세요.

오전 오후

밤 10시 새벽 2시 아침 7시 낮 1시

✤ 오전: 전날 밤 12시부터 낮 12시까지
오후: 낮 12시부터 밤 12시까지

7-1 □ 안에 알맞은 수를 써넣으세요.

(1) 3주일=21일 (2) 14개월=1년 2개월

✤ (1) 3주일=1주일+1주일+1주일=7일+7일+7일=21일
(2) 14개월=12개월+2개월=1년 2개월

7-2 어느 해의 5월 달력을 보고 물음에 답하세요.

5월

일	월	화	수	목	금	토
			1	2	3	4
5	6	7	8	9	10	11
12	13	14	15	16	17	18
19	20	21	22	23	24	25
26	27	28	29	30	31	

(1) 5월 5일 어린이날은 무슨 요일일까요? (일요일)

(2) 어린이날부터 2주일 후는 며칠일까요? (19일)

✤ (2) 일주일은 7일이므로 5월 5일에서 1주일 후는 12일, 2주일 후는 19일입니다.

4. 시각과 시간 · 61

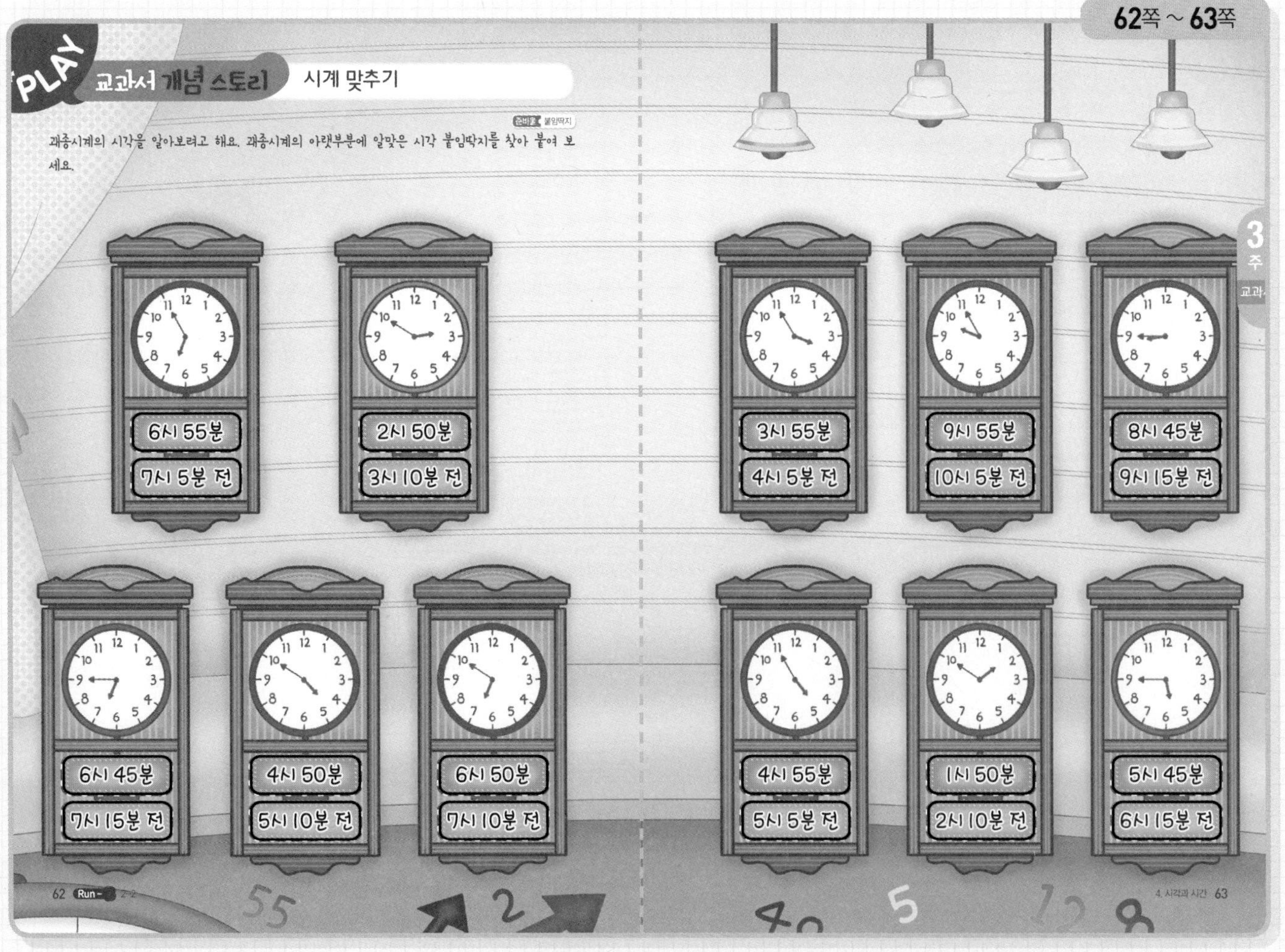
62쪽 ~ 63쪽

PLAY 교과서 개념 스토리 시계 맞추기

괘종시계의 시각을 알아보려고 해요. 괘종시계의 아랫부분에 알맞은 시각 붙임딱지를 찾아 붙여 보세요.

62 Run- 2-2

4. 시각과 시간 63

64쪽 ~ 65쪽

PLAY 교과서 개념 스토리
달력 완성하기
보미의 다이어리에 있는 내용을 읽고 달력에 알맞은 붙임딱지를 찾아 붙여 보세요.
4월
6월
• 4월 5일 식목일이 동생 생일이었어.
• 매주 토요일에 태권도를 했지.
• 동생 생일 3일 전과 2주일 4일 후에는 치킨을 먹었어.
• 첫째 화요일에서 2주일 후에 동생과 옷을 사러 갔어.
• 둘째 수요일에서 1주일 4일 후에 딸기 농장에 갔지.
• 예 딸기 농장에 가기 5일 전에는 포도 농장에 갔어.
• 15일이 내 생일이었어.
• 내 생일에서 1주일 3일 후가 엄마 생일이었지.
• 매주 수요일에는 수영을 하러 갔어.
• 셋째 금요일에 치킨을 먹었어.
• 첫째 일요일에서 2주일 후에 옷을 사러 갔어.
• 첫째 화요일과 그로부터 2주일 후에 떡볶이를 먹으러 갔어.
• 예 넷째 목요일에서 2일 후에 삼겹살을 먹었지.

66쪽 ~ 67쪽

2단계 교과서 개념 다지기

개념 1 몇 시 몇 분 알아보기 (1)

01 시계의 긴바늘이 가리키는 숫자가 몇 분을 나타내는지 빈칸에 알맞은 수를 써넣으세요.

숫자	1	2	3	4	5	6	7	8	9	10	11	12
분	5	10	15	20	25	30	35	40	45	50	55	0

✤ 시계의 긴바늘이 가리키는 수가 1씩 커질 때마다 5분씩 커집니다.

02 다음 설명을 읽고 □ 안에 알맞은 수를 써넣으세요.

• 시계의 짧은바늘은 4와 5 사이에 있습니다.
• 시계의 긴바늘은 9를 가리키고 있습니다.

4시 45분

✤ 짧은바늘: 4와 5 사이 ➔ 4시
긴바늘: 9 ➔ 45분

03 시각에 맞게 긴바늘을 그려 넣으세요.

✤ 15분이므로 긴바늘이 3을 가리키게 그립니다.

개념 2 몇 시 몇 분 알아보기 (2)

04 11시 32분을 나타내는 시계에 ○표 하세요.

 ( )

 (○)

✤ 11시 ➔ 짧은바늘이 11과 12 사이에 있습니다.
32분 ➔ 긴바늘이 6(30분)에서 작은 눈금으로 2칸 더 간 곳을 가리킵니다.

05 같은 시각을 나타내는 것끼리 선으로 이어 보세요.

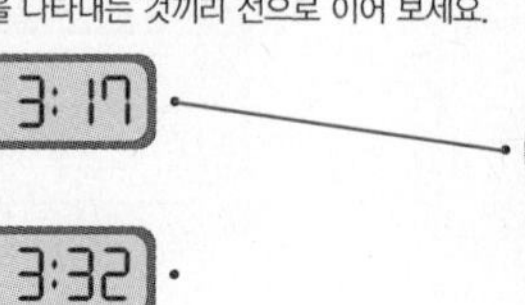

✤ 3시 17분: 짧은바늘이 3과 4 사이에 있고 긴바늘은 3(15분)에서 작은 눈금으로 2칸 더 간 곳을 가리킵니다.

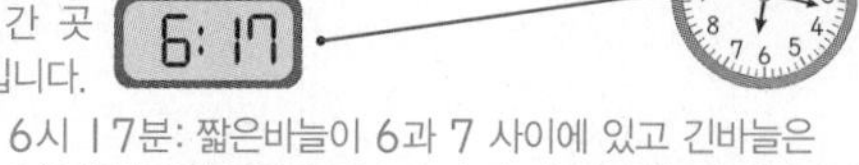

6시 17분: 짧은바늘이 6과 7 사이에 있고 긴바늘은 3(15분)에서 작은 눈금으로 2칸 더 간 곳을 가리킵니다.

06 다음 설명을 읽고 □ 안에 알맞은 수를 써넣으세요.

• 시계의 짧은바늘이 1과 2 사이에 있습니다.
• 시계의 긴바늘은 4에서 작은 눈금으로 2칸 덜 간 곳을 가리킵니다.

➔ 1시 18분

✤ 짧은바늘: 1과 2 사이 ➔ 1시
긴바늘: 4(20분)에서 작은 눈금으로 2칸 덜 간 곳 ➔ 18분

68쪽 ~ 69쪽

정답과 풀이 p.17

개념 3 여러 가지 방법으로 시각 읽기

07 시계의 시각을 몇 시 몇 분 전으로 읽어 보세요.

(8시 5분 전)

✤ 시계가 나타내는 시각은 7시 55분이고 7시 55분은 8시가 되기 5분 전의 시각과 같으므로 8시 5분 전으로 나타낼 수 있습니다.

08 □ 안에 알맞은 수를 써넣으세요.

3시 15분 전은 [2]시 [45]분입니다.

09 대화를 읽고 더 일찍 학교에 도착한 사람을 찾아 ○표 하세요.

나는 오늘 아침 8시 40분에 도착했어.
준수

나는 오늘 아침 9시 10분 전에 도착했어.
나은

(○) ( )

✤ 준수는 8시 40분에 도착했고, 나은이는 9시 10분 전인 8시 50분에 도착했으므로 더 일찍 도착한 사람은 준수입니다.

개념 4 1시간 알아보기

10 두 시계를 보고 시간이 얼마나 지났는지 시간 띠에 나타내어 보세요.

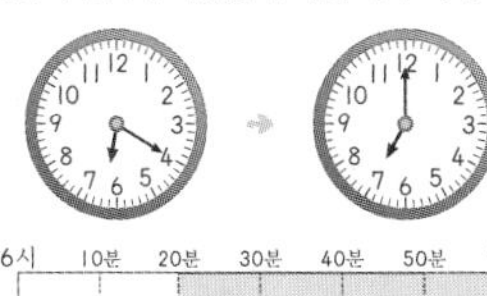

6시 10분 20분 30분 40분 50분 7시

✤ 6시 20분부터 7시까지 나타내는 칸에 색칠합니다.

11 다음 중 틀린 것을 찾아 기호를 써 보세요.

㉠ 1시간 25분=85분
㉡ 115분=1시간 55분
㉢ 200분=2시간 20분
㉣ 2시간 14분=134분

(㉢)

✤ ㉠ 1시간 25분=60분+25분=85분
㉡ 115분=60분+55분=1시간 55분
㉢ 200분=60분+60분+60분+20분=3시간 20분
㉣ 2시간 14분=60분+60분+14분=134분

12 더 긴 시간을 찾아 ○표 하세요.

1시간 40분 ( ) 110분 (○)

✤ 1시간 40분=1시간+40분=60분+40분=100분입니다.
➔ 100분<110분이므로 더 긴 시간은 110분입니다.

70쪽 ~ 71쪽

2단계 교과서 개념 다지기

정답과 풀이 p.17

개념 5 하루의 시간 알아보기

13 □ 안에 알맞은 수를 써넣으세요.

(1) 3일=[72]시간 (2) 28시간=[1]일 [4]시간

✤ (1) 3일=1일+1일+1일=24시간+24시간+24시간=72시간
(2) 28시간=24시간+4시간=1일 4시간

14 모형 시계의 바늘을 움직였을 때 나타내는 시각을 써 보세요.

(1) 긴바늘을 한 바퀴 돌렸을 때: (오전, 오후) [8]시 [20]분 — 오전에 ○표

(2) 짧은바늘을 한 바퀴 돌렸을 때: (오전, 오후) [7]시 [20]분 — 오후에 ○표

✤ (1) 긴바늘이 한 바퀴 도는 데 걸리는 시간은 1시간입니다.
(2) 짧은바늘이 한 바퀴 도는 데 걸리는 시간은 12시간입니다.

15 연주가 놀이공원에 있었던 시간을 시간 띠에 나타내어 구해 보세요.

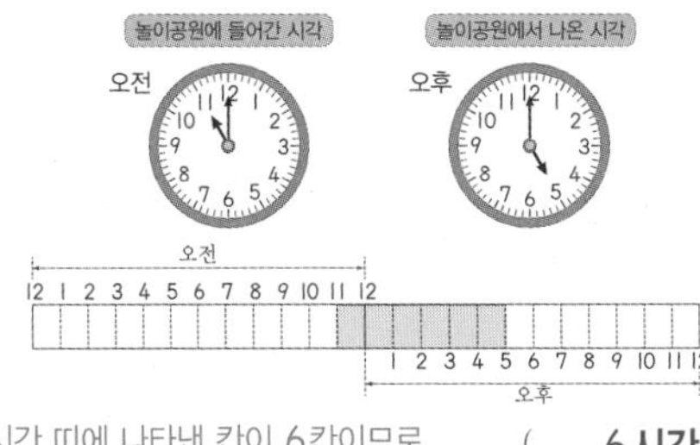

(6시간)

✤ 시간 띠에 나타낸 칸이 6칸이므로 6시간 동안 있었습니다.

개념 6 달력 알아보기

16 날수가 같은 달끼리 짝 지은 것을 찾아 기호를 써 보세요.

㉠ 3월, 6월 ㉡ 2월, 7월
㉢ 7월, 8월 ㉣ 10월, 11월

(㉢)

✤ ㉠ 3월 ➔ 31일, 6월 ➔ 30일
㉡ 2월 ➔ 28일(29일), 7월 ➔ 31일
㉢ 7월 ➔ 31일, 8월 ➔ 31일
㉣ 10월 ➔ 31일, 11월 ➔ 30일

[17~18] 어느 해의 6월 달력을 보고 물음에 답하세요.

6월

일	월	화	수	목	금	토
				1	2	3
4	5	6	7	8	9	10
11	12	13	14	15	16	17
18	19	20	21	22	23	24
25	26	27	28	29	30	

17 수요일의 날짜를 모두 써 보세요.

(7일, 14일, 21일, 28일)

✤ 달력에서 수요일을 찾으면 7일, 14일, 21일, 28일입니다.

18 6월 6일 현충일부터 1주일 후가 엄마의 생일입니다. 엄마의 생일은 며칠일까요?

(13일)

✤ 1주일은 7일이고 현충일은 6일이므로 1주일 후는 6+7=13(일)입니다.

3단계 교과서 실력 다지기

정답과 풀이 p.18

거울에 비친 시계의 시각 읽어 보기

1 오른쪽은 거울에 비친 시계의 모습입니다. 이 시계가 나타내는 시각은 몇 시 몇 분일까요?

답 4시 10분

- 짧은바늘이 ●와 ●+1 사이를 가리키면 ●시 몇 분입니다.
- 긴바늘이 가리키는 숫자가 1이면 5분, 2이면 10분, 3이면 15분……을 나타냅니다.

✤ 시계의 짧은바늘은 4와 5 사이를 가리키고, 긴바늘은 2를 가리키므로 4시 10분입니다.

1-1 오른쪽은 거울에 비친 시계의 모습입니다. 이 시계가 나타내는 시각은 몇 시 몇 분일까요?

(6시 13분)

✤ 시계의 짧은바늘은 6과 7 사이를 가리키고, 긴바늘은 3(15분)에서 작은 눈금으로 2칸 덜 간 곳을 가리키므로 6시 13분입니다.

1-2 오른쪽은 거울에 비친 시계의 모습입니다. 이 시계가 나타내는 시각은 몇 시 몇 분 전일까요?

(8시 5분 전)

✤ 시계의 짧은바늘은 7과 8 사이를 가리키고, 긴바늘은 11을 가리키므로 7시 55분입니다. ➔ 7시 55분=8시 5분 전

시작한 시각 구하기

2 진주는 1시간 15분 동안 운동을 하였습니다. 운동을 끝낸 시각이 3시 30분이라면 운동을 시작한 시각은 몇 시 몇 분일까요?

끝낸 시각

답 2시 15분

개념 피드백
- 시계의 긴바늘이 한 바퀴 도는 데 60분의 시간이 걸립니다.
- 60분=1시간

✤ 운동을 끝낸 시각인 3시 30분에서 1시간 전의 시각은 2시 30분이고, 2시 30분에서 15분 전은 2시 15분입니다.
따라서 운동을 시작한 시각은 2시 15분입니다.

2-1 승기는 2시간 20분 동안 영화를 보았습니다. 영화가 끝난 시각이 7시라면 영화가 시작한 시각은 몇 시 몇 분일까요?

끝난 시각

(4시 40분)

✤ 영화가 끝난 시각인 7시에서 2시간 전의 시각은 5시이고, 5시에서 20분 전은 4시 40분입니다.
따라서 영화가 시작한 시각은 4시 40분입니다.

2-2 영진이는 1시간 10분 동안 수영을 했습니다. 수영을 끝내고 나온 시각이 12시 40분이라면 수영을 시작한 시각은 몇 시 몇 분일까요?

(11시 30분)

✤ 수영을 끝낸 시각인 12시 40분에서 1시간 전은 11시 40분이고, 11시 40분에서 10분 전은 11시 30분입니다.
따라서 수영을 시작한 시각은 11시 30분입니다.

3단계 교과서 실력 다지기

정답과 풀이 p.18

긴바늘이 도는 횟수 구하기

3 시계의 짧은바늘이 3에서 6까지 가는 동안에 긴바늘은 모두 몇 바퀴 돌까요?

답 3바퀴

- 시계의 긴바늘이 한 바퀴 도는 데 60분의 시간이 걸립니다.
- 시계의 짧은바늘이 숫자 한 칸 움직이는 데 60분의 시간이 걸립니다.

✤ 1시간 동안 짧은바늘은 숫자 사이를 한 칸 움직이고 긴바늘은 한 바퀴를 돕니다.
따라서 짧은바늘이 3에서 6까지 가는 동안 긴바늘은 3바퀴 돕니다.

3-1 다음과 같이 시간이 지나는 동안 시계의 긴바늘은 모두 몇 바퀴 돌까요?

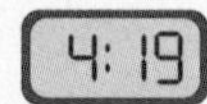

→

(3바퀴)

✤ 4시 19분에서 7시 19분까지 3시간이 지났으므로 시계의 긴바늘은 3바퀴 돕니다.

3-2 다음과 같이 시간이 지나는 동안 시계의 긴바늘은 모두 몇 바퀴 돌까요?

→

(4바퀴)

✤ 5시 45분에서 9시 45분까지는 4시간이 지났으므로 시계의 긴바늘은 4바퀴 돕니다.

각 달의 날수 구하기

4 1년 중 30일까지 있는 달을 모두 써 보세요.

답 4월, 6월, 9월, 11월

개념 피드백
- 1년은 1월부터 12월까지 있습니다.
- 2월은 28일 또는 29일까지 있습니다.

4-1 날수가 같은 달끼리 선으로 이어 보세요.

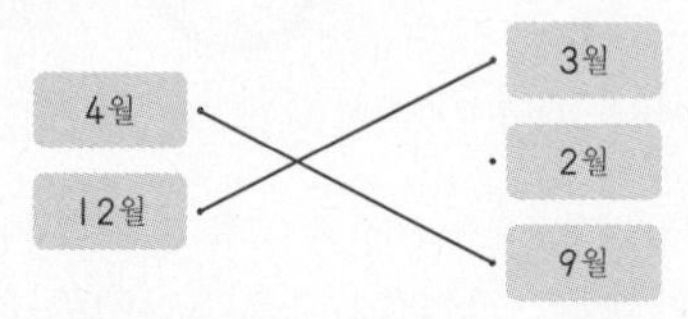

✤ 4월: 30일, 12월: 31일, 3월: 31일, 2월: 28일 또는 29일, 9월: 30일

4-2 승호는 5월 1일부터 6월 15일까지 어학 캠프를 갔습니다. 며칠 동안 어학 캠프에 있었을까요?

(46일)

✤ 5월은 31일까지 있습니다.
➔ 31+15=46(일)

3주 교과서 실력 다지기

정답과 풀이 p.19

★ 기간 구하기

5 전시장에서 박람회가 4월 15일부터 5월 23일까지 열린다고 합니다. 박람회가 열리는 기간은 며칠일까요?

답 39일

개념 피드백

월	1	2	3	4	5	6	7	8	9	10	11	12
날수(일)	31	28(29)	31	30	31	30	31	31	30	31	30	31

✣ 4월은 30일까지 있으므로 4월 15일부터 30일까지 16일 동안 박람회가 열리고 5월은 1일부터 23일까지 23일 동안 박람회가 열립니다. ➔ 16+23=39(일)

5-1 꽃 축제가 5월 9일부터 6월 15일까지 열린다고 합니다. 꽃 축제가 열리는 기간은 며칠일까요?

(38일)

✣ 5월은 31일까지 있으므로 5월 9일부터 31일까지 23일 동안 축제가 열리고 6월은 1일부터 15일까지 15일 동안 축제가 열립니다. ➔ 23+15=38(일)

5-2 농구 대회가 열리는 기간은 며칠일까요?

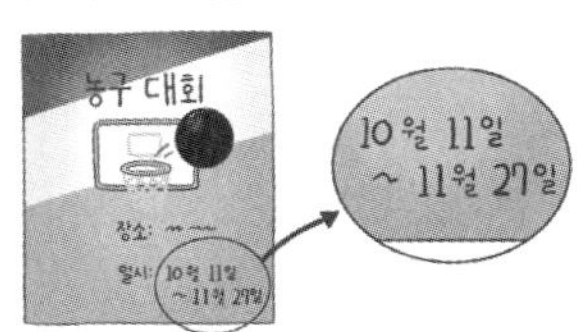

농구 대회
장소:
일시: 10월 11일 ~11월 27일
10월 11일
~ 11월 27일

(48일)

✣ 10월은 31일까지 있으므로 10월 11일부터 31일까지 21일 동안 농구 대회가 열리고 11월은 1일부터 27일까지 27일 동안 농구 대회가 열립니다. ➔ 21+27=48(일)

★ 달력의 일부 활용하기

6 어느 해 3월 달력의 일부입니다. 이달의 둘째 수요일은 며칠일까요?

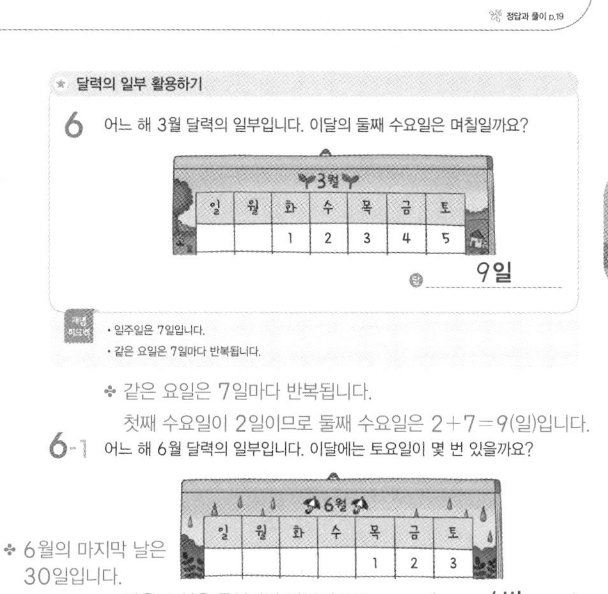

답 9일

개념 피드백
- 일주일은 7일입니다.
- 같은 요일은 7일마다 반복됩니다.

✣ 같은 요일은 7일마다 반복됩니다.
첫째 수요일이 2일이므로 둘째 수요일은 2+7=9(일)입니다.

6-1 어느 해 6월 달력의 일부입니다. 이달에는 토요일이 몇 번 있을까요?

6월

일	월	화	수	목	금	토
				1	2	3

(4번)

✣ 6월의 마지막 날은 30일입니다.
같은 요일은 7일마다 반복되므로
3일 10일 17일 24일 ➔ 4번 있습니다.
+7일 +7일 +7일

6-2 어느 해 12월 달력의 일부입니다. 이달의 수요일의 날짜를 모두 써 보세요.

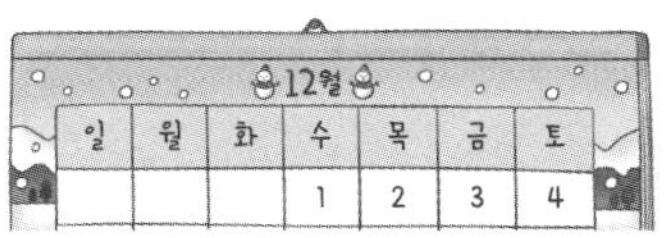

(1일, 8일, 15일, 22일, 29일)

✣ 12월의 마지막 날은 31일입니다.
같은 요일은 7일마다 반복되므로
1일 8일 15일 22일 29일

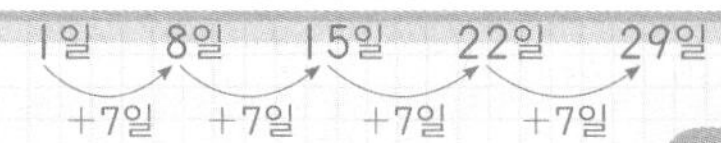

Test 교과서 서술형 연습

정답과 풀이 p.19

서술형 연습 1 어느 해의 3월 2일은 목요일입니다. 같은 해 3월의 셋째 목요일은 며칠인지 구해 보세요.

구하려는 것, 주어진 것에 선을 그어 봅니다.

해결하기 3월은 31일까지 있습니다.
3월의 목요일의 날짜를 모두 써 보면
2일, 9일, 16일, 23일, 30일 입니다.
따라서 3월의 셋째 목요일은 16일입니다.

답 구하기 16일

✣ 일주일은 7일마다 반복됩니다.
2일 9일 16일 23일 30일
+7일 +7일 +7일 +7일

서술형 실전 2 어느 해의 9월 7일은 토요일입니다. 같은 해 9월의 마지막 토요일은 며칠인지 구해 보세요.
주어진 것 구하려는 것

구하려는 것, 주어진 것에 선을 그어 봅니다.

해결하기 예 9월은 30일까지 있습니다.
9월의 토요일의 날짜를 모두 써 보면 7일, 14일, 21일, 28일입니다.
따라서 9월의 마지막 토요일은 28일입니다.

답 구하기 28일

서술형 연습 3 지민이가 책을 읽은 시간은 몇 시간 몇 분인지 구해 보세요.

시작한 시각

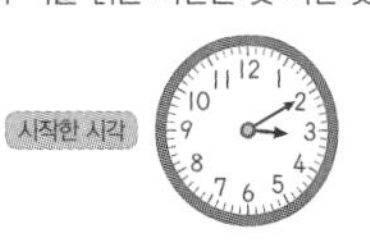

끝낸 시각

해결하기 시작한 시각인 3시 10분에서 4시 10분까지가 1시간이고, 4시 10분에서 끝낸 시각인 4시 35분까지가 25분입니다.
따라서 책을 읽은 시간은 1시간 25분입니다.

답 구하기 1시간 25분

서술형 실전 4 혜미가 영화를 본 시간은 몇 시간 몇 분인지 구해 보세요.

시작한 시각

끝난 시각

해결하기 예 시작한 시각인 7시 30분에서 8시 30분까지가 1시간이고, 8시 30분에서 끝난 시각인 8시 50분까지가 20분입니다. 따라서 영화를 본 시간은 1시간 20분입니다.

답 구하기 1시간 20분

80쪽 ~ 81쪽

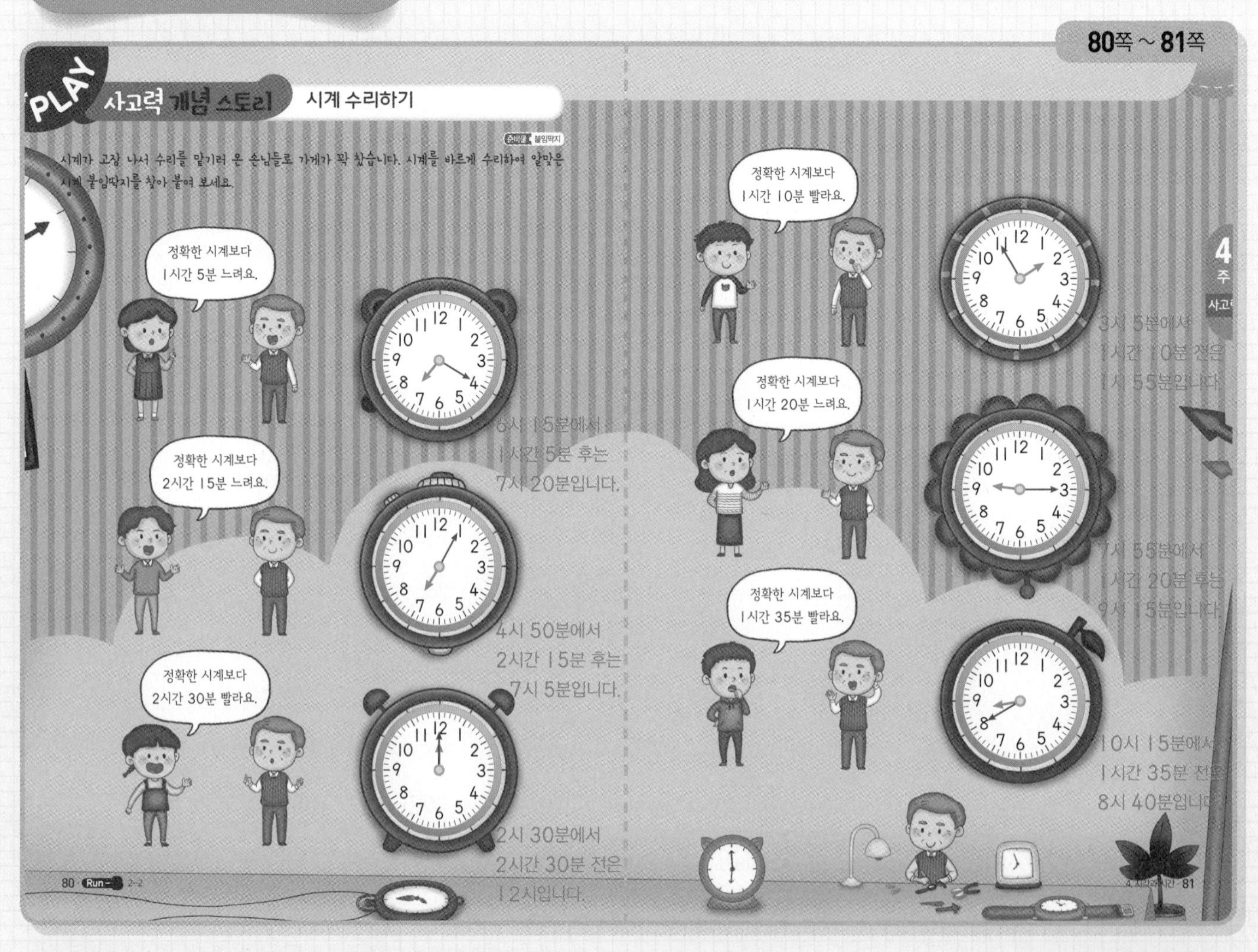

82쪽 ~ 83쪽

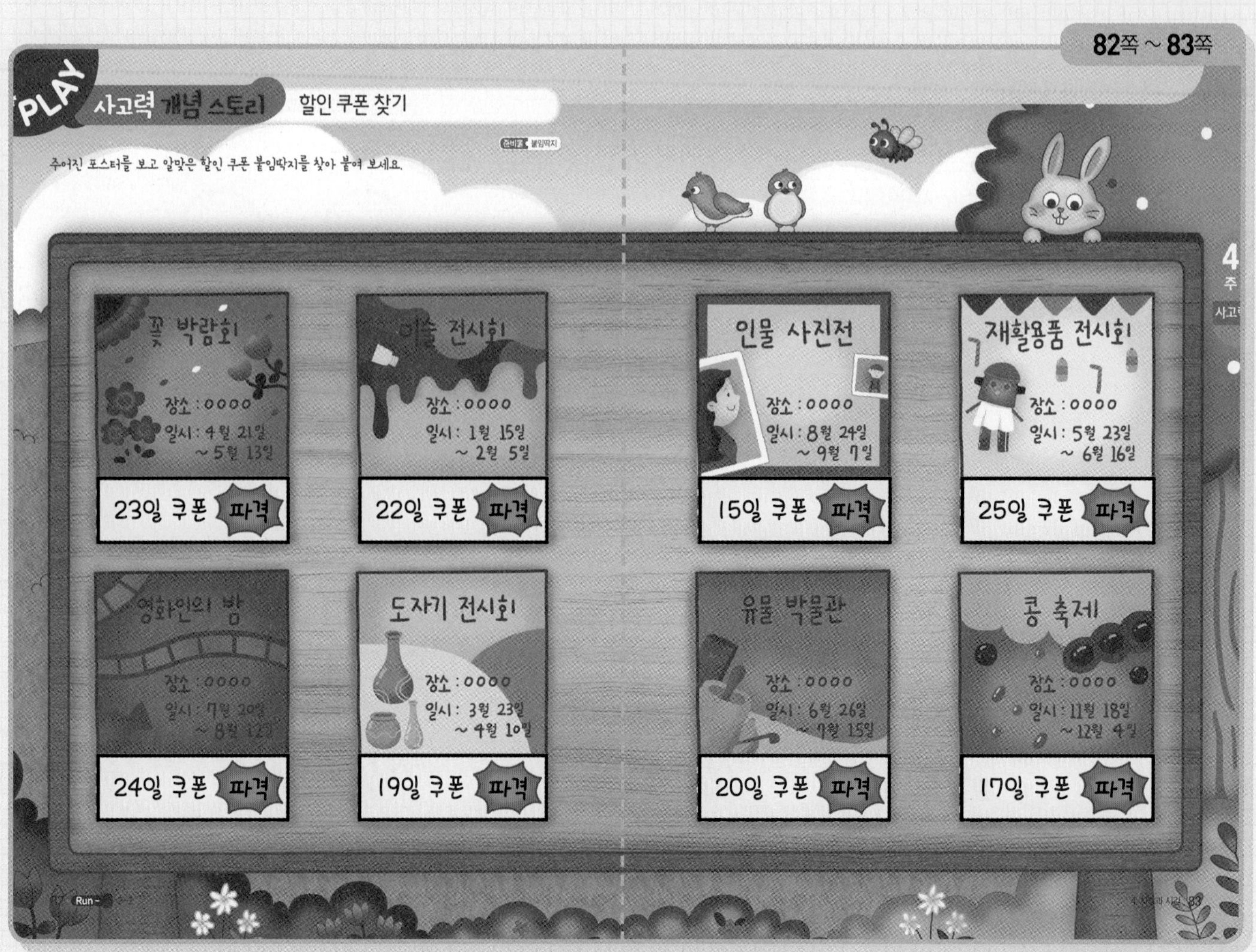

1단계 교과 사고력 잡기

1 축구 경기가 3시 10분에 시작되었습니다. 축구 경기가 끝난 시각은 몇 시 몇 분일까요? (단, 연장전은 없었습니다.)

전반전 경기 시간 : 45분
휴식 시간 : 15분
후반전 경기 시간 : 45분

❶ 전반전이 끝난 시각은 몇 시 몇 분일까요?

(3시 55분)

✣ 3시 10분 $\xrightarrow{\text{45분 후}}$ 3시 55분

❷ 휴식 시간을 보낸 후의 시각은 몇 시 몇 분일까요?

(4시 10분)

✣ 3시 55분 $\xrightarrow{\text{5분 후}}$ 4시 $\xrightarrow{\text{10분 후}}$ 4시 10분

❸ 축구 경기가 끝난 시각은 몇 시 몇 분일까요?

(4시 55분)

✣ 4시 10분 $\xrightarrow{\text{45분 후}}$ 4시 55분

2 어느 해의 12월 달력입니다. 다영이가 할머니 댁에 방문할 날짜는 몇 월 며칠일까요?

12월

일	월	화	수	목	금	토
			1	2	3	4
5	6	7	8	9	10	11
12	13	14	15	16	17	18
19	20	21	22	23	24	25
26	27	28	29	30	31	

나는 12월 5일에 제주도 놀러 가.
나는 네가 제주도 간 날부터 1주일 4일 후에 할머니 댁에 가.
승기
다영

❶ 승기가 제주도 간 날부터 1주일 후는 며칠일까요?

(12일)

✣ 1주일은 7일이므로 5+7=12(일)입니다.

❷ 다영이가 할머니 댁에 방문할 날짜는 몇 월 며칠일까요?

(12월 16일)

✣ 12월 12일에서 4일 후는 12월 16일입니다.

1단계 교과 사고력 잡기

3 우리나라와 다른 나라는 시간 차이(=시차)가 있습니다. 우리나라 시각을 보고 각 나라의 시각을 시계에 표시해 보세요.

태국	2시간 느림	뉴질랜드	3시간 빠름
프랑스	7시간 느림	호주(시드니)	1시간 빠름

❶

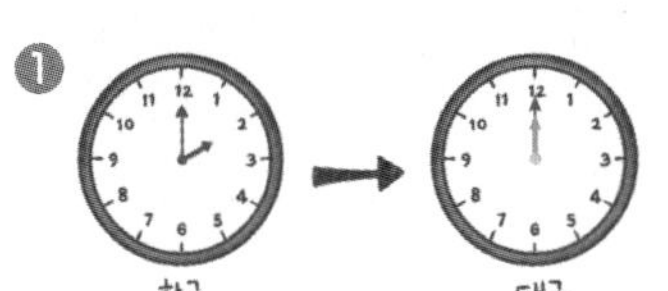

✣ 2시에서 2시간 느린 시각은 12시입니다.

❷

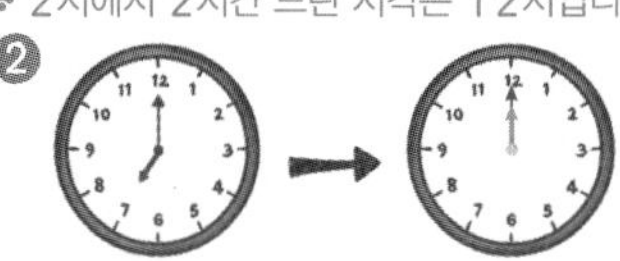

✣ 7시에서 7시간 느린 시각은 12시입니다.

❸

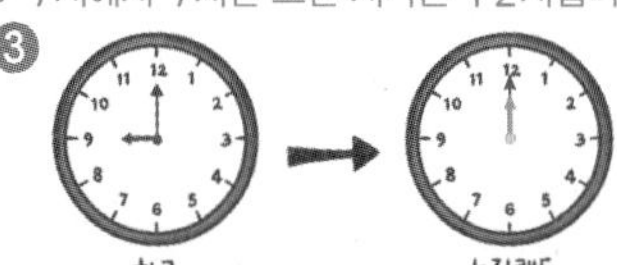

✣ 9시에서 3시간 빠른 시각은 9+3=12(시)입니다.

❹

✣ 5시에서 1시간 빠른 시각은 5+1=6(시)입니다.

4 어느 해 7월 달력의 일부입니다. 이달의 월요일의 날짜를 모두 더하면 얼마인지 구해 보세요.

7월

일	월	화	수	목	금	토
			1	2	3	4

❶ 이달의 첫째 월요일은 며칠일까요?

(6일)

✣ 5일은 일요일, 6일은 월요일이므로 첫째 월요일은 6일입니다.

❷ 이달의 월요일의 날짜를 모두 써 보세요.

(6일, 13일, 20일, 27일)

✣ 같은 요일은 7일마다 반복됩니다.

6일 $\xrightarrow{+7}$ 13일 $\xrightarrow{+7}$ 20일 $\xrightarrow{+7}$ 27일

❸ 이달의 월요일의 날짜를 모두 더하면 얼마일까요?

(66일)

✣ 6+13+20+27=66(일)

88쪽 ~ 89쪽

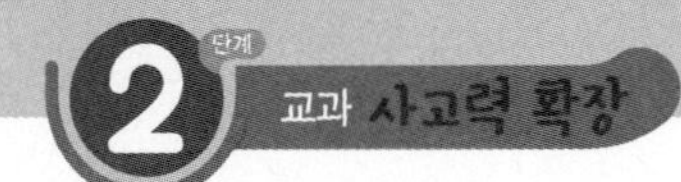

정답과 풀이 p.22

1 일정한 규칙에 따라 시계를 늘어놓은 것입니다. 마지막 시계에 시곗바늘을 알맞게 나타내어 보세요.

❶

✤ 30분씩 늘어나는 규칙입니다.

2시 20분 $\xrightarrow{\text{30분 후}}$ 2시 50분 $\xrightarrow{\text{30분 후}}$ 3시 20분 $\xrightarrow{\text{30분 후}}$ 3시 50분

❷
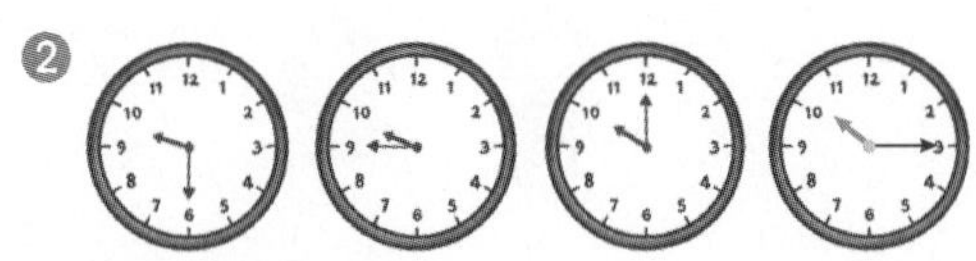

✤ 15분씩 늘어나는 규칙입니다.

9시 30분 $\xrightarrow{\text{15분 후}}$ 9시 45분 $\xrightarrow{\text{15분 후}}$ 10시 $\xrightarrow{\text{15분 후}}$ 10시 15분

❸
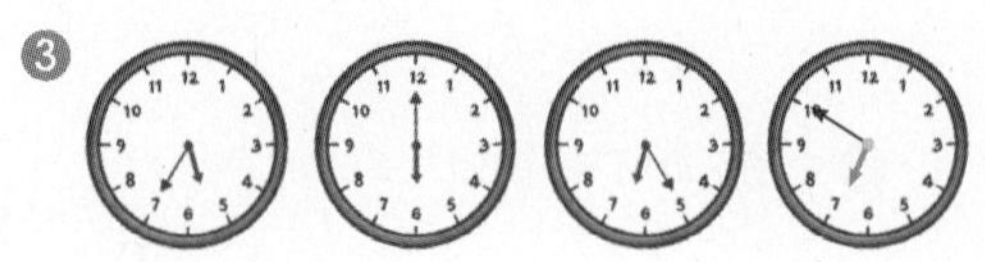

✤ 25분씩 늘어나는 규칙입니다.

5시 35분 $\xrightarrow{\text{25분 후}}$ 6시 $\xrightarrow{\text{25분 후}}$ 6시 25분 $\xrightarrow{\text{25분 후}}$ 6시 50분

2 민주네 학교는 9시에 1교시 수업을 시작하여 40분 동안 수업을 하고 10분 동안 쉬고 다시 수업을 시작합니다. 4교시가 끝나고 점심 시간이라면 점심 시간은 몇 시 몇 분에 시작할까요?

1교시 : 40분
(쉬는 시간 : 10분)
2교시 : 40분
(쉬는 시간 : 10분)
3교시 : 40분
(쉬는 시간 : 10분)
4교시 : 40분

❶ 2교시 수업 시작 시각은 몇 시 몇 분일까요?

(9시 50분)

✤ 9시에서 40분 후는 9시 40분 $\xrightarrow{\text{10분 후}}$ 9시 50분

❷ 3교시 수업 시작 시각은 몇 시 몇 분일까요?

(10시 40분)

✤ 9시 50분 $\xrightarrow{\text{40분 후}}$ 10시 30분 $\xrightarrow{\text{10분 후}}$ 10시 40분

❸ 4교시 수업 시작 시각은 몇 시 몇 분일까요?

(11시 30분)

✤ 10시 40분 $\xrightarrow{\text{40분 후}}$ 11시 20분 $\xrightarrow{\text{10분 후}}$ 11시 30분

❹ 점심 시간 시작 시각은 몇 시 몇 분일까요?

(12시 10분)

✤ 11시 30분 $\xrightarrow{\text{40분 후}}$ 12시 10분

90쪽 ~ 91쪽

2 단계 교과 사고력 확장

정답과 풀이 p.22

3 시계의 짧은바늘과 긴바늘의 좁은 쪽 사이가 가장 좁게 벌어진 시각의 기호를 써 보세요.

㉠ 2시	㉡ 11시 10분
㉢ 1시 5분	㉣ 4시 30분

❶ 위 시각에 맞게 시곗바늘을 그려 넣으세요.

㉠

㉡

㉢

㉣

✤ ㉠ 짧은바늘은 2, 긴바늘은 12를 가리키게 그립니다.
㉡ 짧은바늘은 11과 12 사이를, 긴바늘은 2를 가리키게 그립니다.
㉢ 짧은바늘은 1과 2 사이를, 긴바늘은 1을 가리키게 그립니다.
㉣ 짧은바늘은 4와 5 사이를, 긴바늘은 6을 가리키게 그립니다.

❷ 시계의 짧은바늘과 긴바늘의 좁은 쪽 사이가 가장 좁게 벌어진 시각의 기호를 써 보세요.

(㉢)

✤ 짧은바늘과 긴바늘의 좁은 쪽 사이가 가장 좁게 벌어진 시각은 ㉢입니다.

4 동호는 어린이날 오전 10시에 캠핑장에 도착하였습니다. 5월 8일 오후 2시에 캠핑장을 떠나 집으로 돌아갔습니다. 동호가 캠핑장에 있었던 시간은 몇 시간일까요?

❶ 어린이날은 몇 월 며칠일까요?

(5월 5일)

❷ 하루는 몇 시간일까요?

(24시간)

✤ 하루는 24시간입니다.

❸ 동호가 캠핑장에 있었던 시간은 몇 시간일까요?

(76시간)

✤ 5월 5일 오전 10시 $\xrightarrow{\text{24시간 후}}$ 5월 6일 오전 10시
$\xrightarrow{\text{24시간 후}}$ 5월 7일 오전 10시 $\xrightarrow{\text{24시간 후}}$ 5월 8일 오전 10시
$\xrightarrow{\text{4시간 후}}$ 5월 8일 오후 2시
따라서 동호는 $24+24+24+4=76$(시간) 동안 캠핑장에 있었습니다.

3단계 교과 사고력 완성

평가 영역 □개념 이해력 ☑개념 응용력 □창의력 ☑문제 해결력

1 준호가 숙제를 끝낸 후 거울에 비친 시계를 보았더니 다음과 같았습니다. 숙제를 하는 동안 시계의 긴바늘이 한 바퀴 반을 돌았습니다. 준호가 숙제를 시작한 시각을 시계에 나타내어 보세요.

① 준호가 숙제를 끝낸 시각은 몇 시 몇 분일까요?
(5시 20분)

❖ 전자시계가 나타내는 시각은 5시 20분이므로 숙제를 끝낸 시각은 5시 20분입니다.

② 긴바늘이 한 바퀴 반 돌면 몇 시간 몇 분이 지난 것일까요?
(1시간 30분)

❖ 긴바늘이 한 바퀴 돌면 1시간, 반 바퀴 돌면 30분 지난 것이므로 한 바퀴 반 돌면 1시간 30분 지난 것입니다.

③ 숙제를 시작한 시각은 몇 시 몇 분일까요?
(3시 50분)

❖ 5시 20분 —1시간 전→ 4시 20분 —30분 전→ 3시 50분

④ 준호가 숙제를 시작한 시각을 시계에 나타내어 보세요.

평가 영역 ☑개념 이해력 □개념 응용력 ☑창의력 □문제 해결력

2 동호는 승주보다 2주일 3일 늦게 태어났고, 재근이는 동호보다 1주일 5일 빨리 태어났습니다. 재근이의 생일은 언제일까요?

7월

일	월	화	수	목	금	토
		1	2	3	4	5
6	7	8	9	10	11	12
13	14	15	16	17	18	19
20	21	22	23	24	25	26
27	28	29	30	31		

① 승주의 생일은 몇 월 며칠일까요?
(7월 9일)

② 동호의 생일은 몇 월 며칠일까요?
(7월 26일)

❖ 7월 9일 —2주일 후→ 7월 23일 —3일 후→ 7월 26일

③ 재근이의 생일은 몇 월 며칠일까요?
(7월 14일)

❖ 7월 26일 —1주일 전→ 7월 19일 —5일 전→ 7월 14일

❖ 긴바늘이 가리키는 숫자가 1이면 5분, 2이면 10분, 4이면 20분, 5이면 25분, 7이면 35분, 9이면 45분, 11이면 55분을 나타냅니다.

Test 종합평가 4. 시각과 시간

1 시계의 긴바늘이 가리키는 숫자와 그 숫자가 나타내는 분을 빈칸에 알맞게 써넣으세요.

숫자	1	2	4	5	7	9	11
분	5	10	20	25	35	45	55

❖ (1) 시계의 짧은바늘은 1과 2 사이를 가리키고, 긴바늘은 8에서 작은 눈금으로 2칸 덜 간 곳을 가리키므로 1시 38분입니다.

2 시각을 써 보세요.

(1)  [1]시 [38]분

(2) 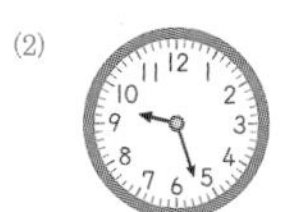 [9]시 [27]분

(2) 시계의 짧은바늘은 9와 10 사이를 가리키고, 긴바늘은 5에서 작은 눈금으로 2칸 더 간 곳을 가리키므로 9시 27분입니다.

3 두 가지 방법으로 시계의 시각을 읽어 보세요.

[4]시 [45]분

[5]시 [15]분 전

❖ 4시 45분은 5시가 되기 15분 전의 시각과 같으므로 5시 15분 전으로 나타낼 수 있습니다.

4 □ 안에 알맞은 수를 써넣으세요.

(1) 1시간 45분=[105]분

(2) 150분=[2]시간 [30]분

❖ (1) 1시간 45분=1시간+45분=60분+45분=105분
(2) 150분=120분+30분=2시간+30분=2시간 30분

5 시각에 맞게 긴바늘을 그려 넣으세요.

(1) 5:35 

(2) 7:10 

❖ (1) 시계의 긴바늘이 7을 가리키게 그립니다.
(2) 시계의 긴바늘이 2를 가리키게 그립니다.

6 승기는 영화관에 가서 영화를 보았습니다. 물음에 답하세요.

영화가 시작한 시각 / 영화가 끝난 시각

(1) 영화가 시작한 시각과 끝난 시각은 각각 몇 시 몇 분일까요?
시작한 시각 (6시 15분), 끝난 시각 (8시 25분)

(2) 영화를 본 시간은 몇 시간 몇 분일까요?
(2시간 10분)

❖ 6시 15분 —1시간 후→ 7시 15분 —1시간 후→ 8시 15분 —10분 후→ 8시 25분
따라서 영화를 본 시간은 2시간 10분입니다.

7 날수가 같은 달끼리 짝 지은 것에 ○표 하세요.

7월 8월	11월 12월
(○)	( )

❖ 7월, 8월, 12월 → 31일
11월 → 30일

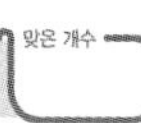

Test 종합평가 4. 시각과 시간

정답과 풀이 p.24

[8~11] 어느 해의 6월 달력을 보고 물음에 답하세요.

6월

일	월	화	수	목	금	토
		1	2	3	4	5
6	7	8	9	10	11	12
13	14	15	16	17	18	19
20	21	22	23	24	25	26
27	28	29	30			

8 6월 6일 현충일은 무슨 요일일까요?

(일요일)

9 현충일부터 2주일 후는 며칠일까요?

(20일)

✤ 1주일은 7일이므로 현충일부터 2주일 후는 20일입니다.

10 이달의 목요일의 날짜를 모두 써 보세요.

(3일, 10일, 17일, 24일)

✤ 이달의 목요일은 3일, 10일, 17일, 24일입니다.

11 이달의 첫째 화요일에서 2주일 3일 후는 무슨 요일일까요?

(금요일)

✤ 6월의 첫째 화요일은 6월 1일입니다.

6월 1일 →(1주일 후) 6월 8일 →(1주일 후) 6월 15일 →(3일 후) 6월 18일

따라서 6월 18일은 금요일입니다.

12 다음 중 틀린 것을 찾아 기호를 써 보세요.

㉠ 28일=4주일　㉡ 33일=4주일 5일
㉢ 20개월=1년 7개월　㉣ 32개월=2년 8개월
㉤ 45개월=3년 9개월

(㉢)

✤ ㉡ 33일=28일+5일=4주일 5일
㉢ 20개월=12개월+8개월=1년 8개월
㉣ 32개월=24개월+8개월=2년 8개월
㉤ 45개월=36개월+9개월=3년 9개월

13 다음은 거울에 비친 시계의 모습입니다. 이 시계가 나타내는 시각은 몇 시 몇 분일까요?

(4시 43분)

✤ 시계의 짧은바늘은 4와 5 사이를 가리키므로 4시이고, 긴바늘은 9에서 작은 눈금으로 2칸 덜 간 곳을 가리키므로 43분입니다. 따라서 시계가 나타내는 시각은 4시 43분입니다.

14 모형 시계의 짧은바늘을 한 바퀴 돌렸을 때 나타내는 시각을 써 보세요.

(1) 오전　(2) 오후

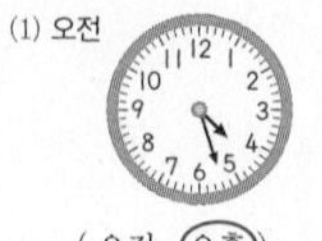

(1) (오전 , (오후)) 4 시 27 분
(2) ((오전), 오후) 7 시 43 분

✤ 짧은바늘이 한 바퀴 도는 데 12시간이 걸립니다.
(1) 시계가 나타내는 시각은 오전 4시 27분입니다. 짧은바늘을 한 바퀴 돌리면 12시간 후인 오후 4시 27분이 됩니다.
(2) 시계가 나타내는 시각은 오후 7시 43분입니다. 짧은바늘을 한 바퀴 돌리면 12시간 후인 오전 7시 43분이 됩니다.

Test 종합평가 4. 시각과 시간

정답과 풀이 p.24

15 대화를 읽고 더 일찍 일어난 사람은 누구인지 써 보세요.

나는 오늘 아침 7시 45분에 일어났어.
준수

나는 오늘 아침 8시 10분 전에 일어났어.
세형

(준수)

✤ 8시 10분 전은 7시 50분입니다. 7시 45분은 7시 50분보다 빠른 시각이므로 더 일찍 일어난 사람은 준수입니다.

16 명철이는 운동을 어제는 40분 동안 하였고, 오늘은 45분 동안 하였습니다. 명철이가 어제와 오늘 운동한 시간은 모두 몇 시간 몇 분일까요?

(1시간 25분)

✤ (명철이가 어제와 오늘 운동한 시간)
=(어제 운동한 시간)+(오늘 운동한 시간)
=40분+45분=85분=60분+25분=1시간 25분

17 불가리아의 시각은 우리나라보다 6시간이 늦습니다. 우리나라 시각을 보고 불가리아의 시각을 시계에 표시해 보세요.

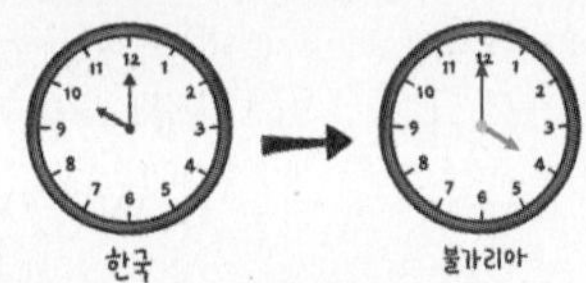

✤ 10시에서 6시간 느린 시각은 4시입니다.

18 시계의 짧은바늘과 긴바늘의 좁은 쪽 사이가 가장 넓게 벌어진 시각의 기호를 써 보세요.

㉠ 10시 40분　㉡ 7시 5분　㉢ 2시 10분

(㉡)

✤ ㉠ ㉡ ㉢

특강 창의·융합 사고력

정답과 풀이 p.24

1 영주의 생활 계획표를 보고 자유롭게 문장을 완성해 보세요.

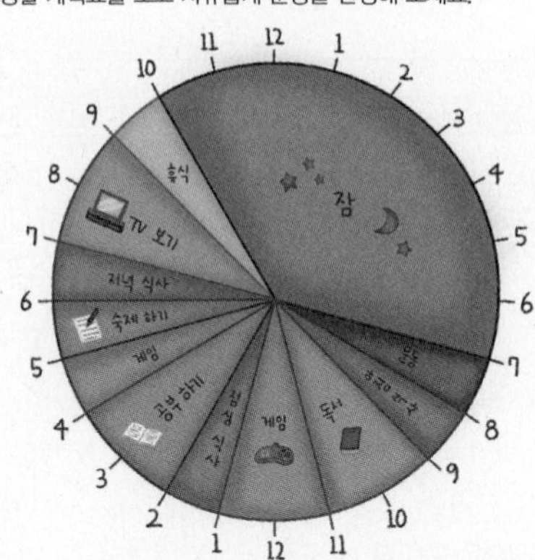

예
(1) ((오전), 오후) 8 시 15 분에는 아침 식사를 하고 있습니다.
(2) (오전 , (오후)) 3 시 30 분에는 공부를 하고 있습니다.
(3) ((오전), 오후) 11 시 25 분에는 게임을 하고 있습니다.
(4) (오전 , (오후)) 8 시 10 분에는 TV를 보고 있습니다.

천재교육

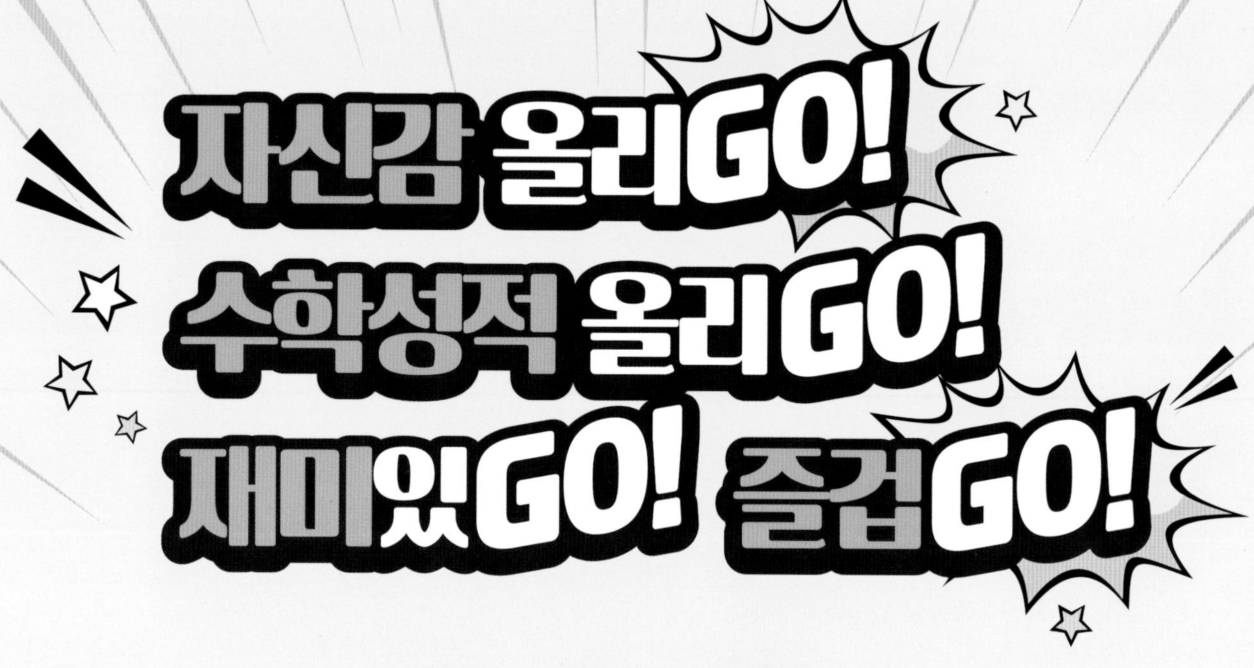

우리는 〈교과서+사고력〉으로 수학을 신나게 공부해요!

Go! 매쓰

자세한 문의는 ○○○-○○○○-○○○○

Go! 매쓰

수학 2-2

정답과 풀이

유형 사고력

교과서 사고력

교과서 개념